• 소수의 나눗셈 •

교과 과정 완벽 대비
수학 전문가가 만든 **연산 교재**
다양한 형태의 문제로 재미있게 연습하는 **원리셈**

지은이의 말

수학은 원리로부터

수학은 구체물의 관계를 숫자와 기호의 약속으로 나타내는 추상적인 학문입니다. 이 점이 아이들이 수학을 어려워하는 가장 큰 이유입니다. 이러한 수학은 제대로 된 이해를 동반할 때 비로소 힘을 발휘할 수 있습니다. 수학은 어느 단계에서나 원리가 가장 중요합니다.

수학 교육의 변화

답을 내는 방법만 알아도 되는 수학 교육의 시대는 지나고 있습니다. 연산도 한 가지 방법만 반복 연습하기 보다 다양한 풀이 방법이 중요합니다. 교과서는 왜 그렇게 해야 하는지 가르쳐 주고 다양한 방법을 생각하도록 하지만, 학생들은 단순하게 반복되는 연습에 원리는 잊어버리고 기계적으로 답을 내다보니 응용된 내용의 이해가 부족합니다.

연산 학습은 꾸준히

유초등 학습 단계에 따라 4권~6권의 구성으로 매일 10분씩 꾸준히 공부할 수 있습니다. 원리와 다양한 방법의 학습은 그림과 함께 재미있게, 연습은 다양하게 진행하되 마무리는 집중하여 진행하도록 했습니다. 부담 없는 하루 학습량으로 꾸준히 공부하다 보면 어느새 연산 실력이 부쩍 늘어난 것을 알 수 있습니다.

개정판 원리셈은

동영상 강의 확대/초등 고학년 원리 학습 과정 강화 등으로 교과 과정을 완벽하게 대비할 수 있도록 원리와 개념, 계산 방법을 학습합니다. 단계별 원리 학습은 물론이고 연습도 강화했습니다.

학부모님들의 연산 학습에 대한 고민이 원리셈으로 해결되었으면 하는 바람입니다.

지은이 천종현

원리셈의 특징

원리셈의 학습 구성

한 권의 책은 매일 10분 / 매주 5일 / 6주 학습

원리셈의 시나브로 강해지는 학습 알고리즘

초등 원리셈은

시작은 원리의 이해로부터, 마무리는 충분한 연습과 성취도 확인까지

체계적인 학습 구성

쉽게 이해하고 스스로 공부!
실수가 많은 부분은 별도로 확인하고 연습!
주제에 따라 실전을 위한 확장적 사고가 필요한 내용까지!
원리로 시작되는 단계별 학습으로 곱셈구구마저 저절로 외워진다고 느끼도록!

원리셈 전체 단계

키즈 원리셈

5·6세	
1권	5까지의 수
2권	10까지의 수
3권	10까지의 수 세어 쓰기
4권	모아 세기
5권	빼어 세기
6권	크기 비교와 여러 가지 세기

6·7세	
1권	10까지의 더하기 빼기 1
2권	10까지의 더하기 빼기 2
3권	10까지의 더하기 빼기 3
4권	20까지의 더하기 빼기 1
5권	20까지의 더하기 빼기 2
6권	20까지의 더하기 빼기 3

7·8세	
1권	7까지의 모으기와 가르기
2권	9까지의 모으기와 가르기
3권	덧셈과 뺄셈
4권	10 가르기와 모으기
5권	10 만들어 더하기
6권	10 만들어 빼기

초등 원리셈

1학년	
1권	받아올림/ 내림 없는 두 자리 수 덧셈, 뺄셈
2권	덧셈구구
3권	뺄셈구구
4권	□ 구하기
5권	세 수의 덧셈과 뺄셈
6권	(두 자리 수)±(한 자리 수)

2학년	
1권	두 자리 수 덧셈
2권	두 자리 수 뺄셈
3권	세 수의 덧셈과 뺄셈
4권	곱셈
5권	곱셈구구
6권	나눗셈

3학년	
1권	세 자리 수의 덧셈과 뺄셈
2권	(두/세 자리 수)×(한 자리 수)
3권	(두/세 자리 수)×(두 자리 수)
4권	(두/세 자리 수)÷(한 자리 수)
5권	곱셈과 나눗셈의 관계
6권	분수

4학년	
1권	큰 수의 곱셈
2권	큰 수의 나눗셈
3권	분모가 같은 분수의 덧셈과 뺄셈
4권	소수의 덧셈과 뺄셈

5학년	
1권	혼합 계산
2권	약수와 배수
3권	분모가 다른 분수의 덧셈과 뺄셈
4권	분수와 소수의 곱셈

6학년	
1권	분수의 나눗셈
2권	소수의 나눗셈
3권	비와 비율
4권	비례식과 비례배분

초등 원리셈의 단계별 학습 목표

원리와 연습을 모두 잡는 원리셈!!

학년별 학습 목표와 다른 책에서는 만나기 힘든 특별한 내용을 확인해 보세요.

1학년 원리셈

모든 연산 과정 중 실수가 가장 많은 덧셈, 뺄셈의 집중 연습
여러 가지 계산 방법 알기
덧셈, 뺄셈의 관계를 이용한 '□ 구하기'의 이해

2학년 원리셈

두 자리 덧셈, 뺄셈의 여러 가지 계산 방법의 숙지와 이해
곱셈 개념을 폭넓게 이해하고, 곱셈구구를 힘들지 않게 외울 수 있는 구성
나눗셈은 3학년 교과의 내용이지만 곱셈구구를 외우는 것을 도우면서 곱셈구구의 범위에서 개념 위주 학습

3학년 원리셈

기본 연산은 정확한 이해와 충분한 연습
곱셈, 나눗셈의 관계를 이용한 '□ 구하기'의 이해
분수는 학생들이 어려워 하는 부분을 중점적으로 이해하고, 연습하도록 구성

4학년 원리셈

작은 수의 곱셈, 나눗셈 방법을 확장하여 이해하는 큰 수의 곱셈, 나눗셈
교과서에는 나오지 않는 실전적 연산을 포함
많이 틀리는 내용은 별도 집중학습

5학년 원리셈

연산은 개념과 유형에 따라 단계적으로 학습 후 충분한 연습
약수와 배수는 기본기를 단단하게 할 수 있는 체계적인 구성

6학년 원리셈

분수와 소수의 나눗셈은 원리를 단순화하여 이해
비의 개념을 확장하여 문장제 문제 등에서 만나는 비례 관계의 이해와 적용
비와 비례식은 중등 수학을 대비하는 의미도 포함. 강추 교재!!

6학년 구성과 특징

분수와 소수의 나눗셈은 여러 가지 상황에서 원리를 알아보고, 연습은 단순화하여 충분하게 할 수 있도록 했고, 비와 비율은 단순한 연습뿐 아니라 학생들이 어려워 하는 부분을 집중적으로 연습할 수 있도록 구성하였습니다.

원리

원리를 직관적으로 이해하고 쉽게 공부할 수 있도록 하였습니다.

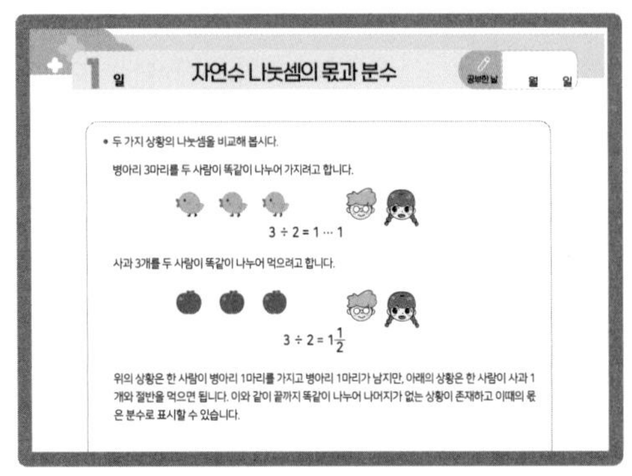

1일 자연수 나눗셈의 몫과 분수 공부한 날 월 일

• 두 가지 상황의 나눗셈을 비교해 봅시다.

병아리 3마리를 두 사람이 똑같이 나누어 가지려고 합니다.

$3 \div 2 = 1 \cdots 1$

사과 3개를 두 사람이 똑같이 나누어 먹으려고 합니다.

$3 \div 2 = 1\frac{1}{2}$

위의 상황은 한 사람이 병아리 1마리를 가지고 병아리 1마리가 남지만, 아래의 상황은 한 사람이 사과 1개와 절반을 먹으면 됩니다. 이와 같이 끝까지 똑같이 나누어 나머지가 없는 상황이 존재하고 이때의 몫은 분수로 표시할 수 있습니다.

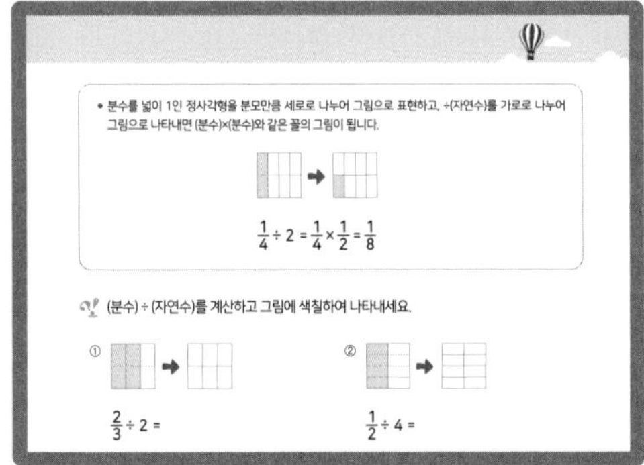

• 분수를 넓이 1인 정사각형을 분모만큼 세로로 나누어 그림으로 표현하고, ÷(자연수)를 가로로 나누어 그림으로 나타내면 (분수)×(분수)와 같은 꼴의 그림이 됩니다.

$\frac{1}{4} \div 2 = \frac{1}{4} \times \frac{1}{2} = \frac{1}{8}$

(분수) ÷ (자연수)를 계산하고 그림에 색칠하여 나타내세요.

① $\frac{2}{3} \div 2 =$ ② $\frac{1}{2} \div 4 =$

다양한 계산 방법

다양한 계산 방법을 공부함으로써 수를 다루는 감각을 키우고, 상황에 따라 더 정확하고 빠른 계산을 할 수 있도록 하였습니다.

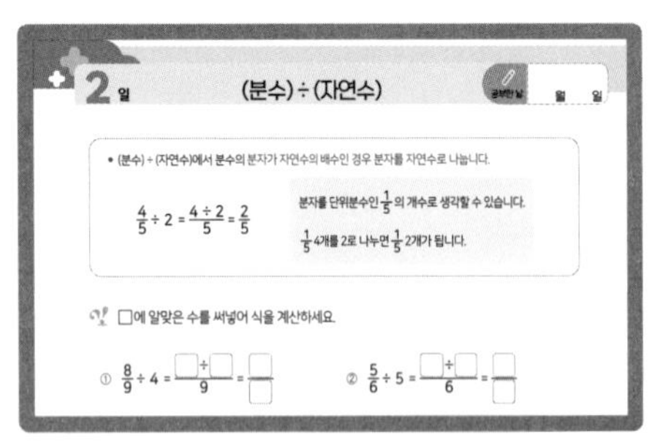

2일 (분수) ÷ (자연수) 공부한 날 월 일

• (분수) ÷ (자연수)에서 분수의 분자가 자연수의 배수인 경우 분자를 자연수로 나눕니다.

$\frac{4}{5} \div 2 = \frac{4 \div 2}{5} = \frac{2}{5}$

분자를 단위분수인 $\frac{1}{5}$의 개수로 생각할 수 있습니다.

$\frac{1}{5}$ 4개를 2로 나누면 $\frac{1}{5}$ 2개가 됩니다.

□에 알맞은 수를 써넣어 식을 계산하세요.

① $\frac{8}{9} \div 4 = \frac{\square \div \square}{9} = \frac{\square}{\square}$ ② $\frac{5}{6} \div 5 = \frac{\square \div \square}{6} = \frac{\square}{\square}$

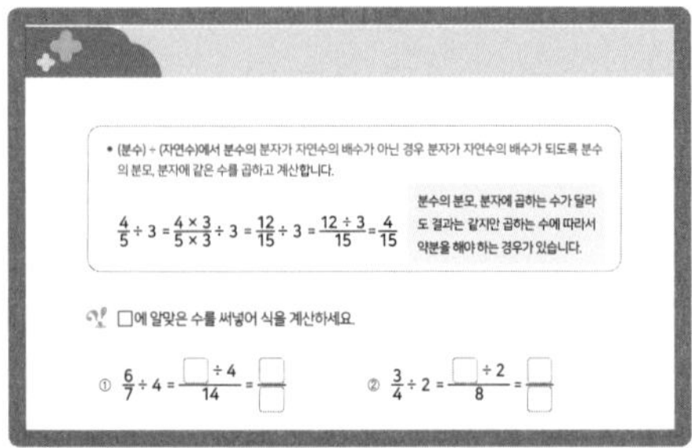

• (분수) ÷ (자연수)에서 분수의 분자가 자연수의 배수가 아닌 경우 분자가 자연수의 배수가 되도록 분수의 분모, 분자에 같은 수를 곱하고 계산합니다.

$\frac{4}{5} \div 3 = \frac{4 \times 3}{5 \times 3} \div 3 = \frac{12}{15} \div 3 = \frac{12 \div 3}{15} = \frac{4}{15}$

분수의 분모, 분자에 곱하는 수가 달라도 결과는 같지만 곱하는 수에 따라서 약분을 해야 하는 경우가 있습니다.

□에 알맞은 수를 써넣어 식을 계산하세요.

① $\frac{6}{7} \div 4 = \frac{\square \div 4}{14} = \frac{\square}{\square}$ ② $\frac{3}{4} \div 2 = \frac{\square \div 2}{8} = \frac{\square}{\square}$

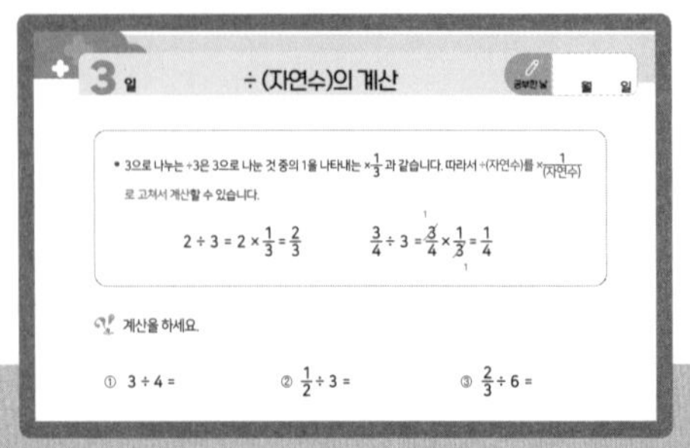

3일 ÷ (자연수)의 계산 공부한 날 월 일

• 3으로 나누는 ÷3은 3으로 나눈 것 중의 1을 나타내는 $\times\frac{1}{3}$과 같습니다. 따라서 ÷(자연수)를 $\times\frac{1}{(자연수)}$로 고쳐서 계산할 수 있습니다.

$2 \div 3 = 2 \times \frac{1}{3} = \frac{2}{3}$ $\frac{3}{4} \div 3 = \frac{3}{4} \times \frac{1}{3} = \frac{1}{4}$

계산을 하세요.

① $3 \div 4 =$ ② $\frac{1}{2} \div 3 =$ ③ $\frac{2}{3} \div 6 =$

연습

기본 연습 문제를 중심으로 여러 형태의 문제로 지루하지 않게 반복하여 연습할 수 있도록 구성하였습니다.

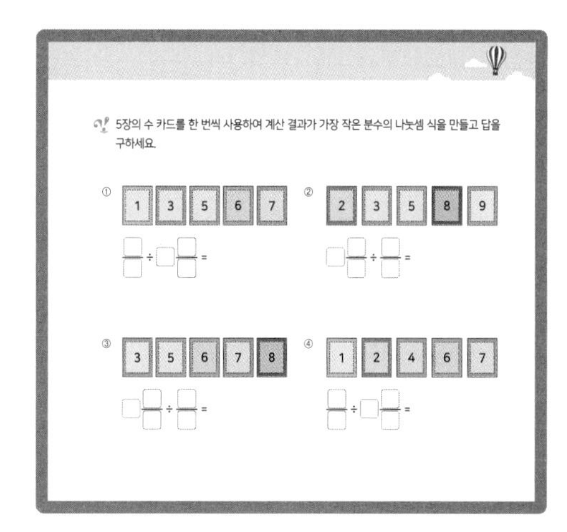

5장의 수 카드를 한 번씩 사용하여 계산 결과가 가장 작은 분수의 나눗셈 식을 만들고 답을 구하세요.

① 1 3 5 6 7

② 2 3 5 8 9

③ 3 5 6 7 8

④ 1 2 4 6 7

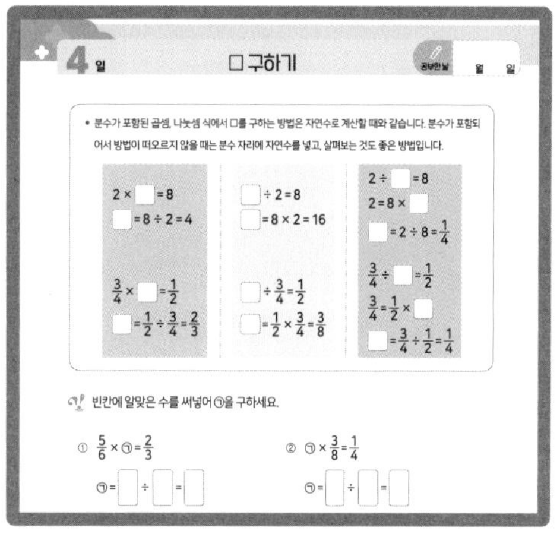

4일 □ 구하기

공부한 날 월 일

• 분수가 포함된 곱셈, 나눗셈 식에서 □를 구하는 방법은 자연수로 계산할 때와 같습니다. 분수가 포함되어서 방법이 떠오르지 않을 때는 분수 자리에 자연수를 넣고, 살펴보는 것도 좋은 방법입니다.

$2\times\square=8$, $\square=8\div2=4$

$\square\div2=8$, $\square=8\times2=16$

$2\div\square=8$, $2=8\times\square$, $\square=2\div8=\frac{1}{4}$

$\frac{3}{4}\times\square=\frac{1}{2}$, $\square=\frac{1}{2}\div\frac{3}{4}=\frac{2}{3}$

$\square\div\frac{3}{4}=\frac{1}{2}$, $\square=\frac{1}{2}\times\frac{3}{4}=\frac{3}{8}$

$\frac{3}{4}\div\square=\frac{1}{2}$, $\frac{3}{4}=\frac{1}{2}\times\square$, $\square=\frac{3}{4}\div\frac{1}{2}=1\frac{1}{4}$

빈칸에 알맞은 수를 써넣어 ㉠을 구하세요.

① $\frac{5}{6}\times$㉠$=\frac{2}{3}$ ㉠ = □ ÷ □ = □

② ㉠$\times\frac{3}{8}=\frac{1}{4}$ ㉠ = □ ÷ □ = □

도전! 계산왕

주제가 구분되는 두 개의 단원은 정확성과 빠른 계산을 위한 집중 연습으로 주제를 마무리 합니다.

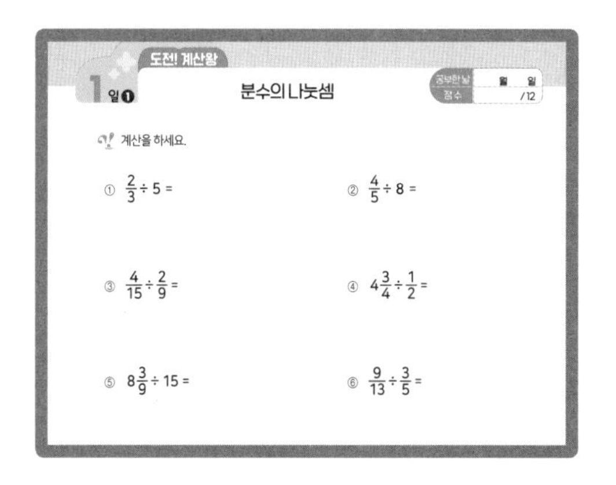

도전! 계산왕

1일❶ 분수의 나눗셈

공부한 날 월 일

점수 /12

계산을 하세요.

① $\frac{2}{3}\div5=$

② $\frac{4}{5}\div8=$

③ $\frac{4}{15}\div\frac{2}{9}=$

④ $4\frac{3}{4}\div\frac{1}{2}=$

⑤ $8\frac{3}{9}\div15=$

⑥ $\frac{9}{13}\div\frac{3}{5}=$

성취도 평가

개념의 이해와 연산의 수행에 부족한 부분은 없는지 성취도 평가를 통해 확인합니다.

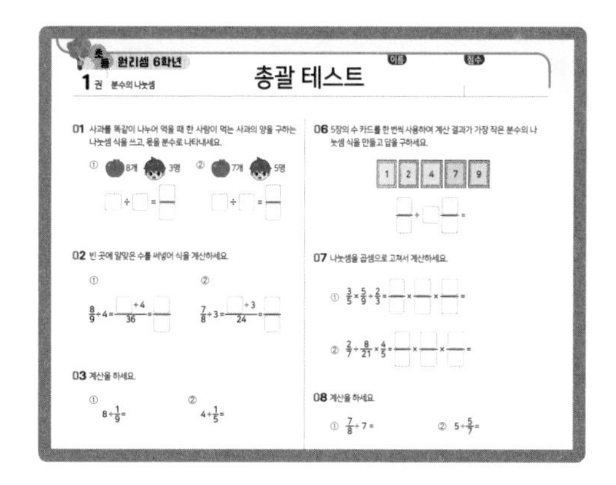

원리셈 6학년

1권 분수의 나눗셈

총괄 테스트

이름 점수

01 사과를 똑같이 나누어 먹을 때 한 사람이 먹는 사과의 양을 구하는 나눗셈 식을 쓰고, 몫을 분수로 나타내세요.

① 8개 3명 ② 7개 5명

02 빈 곳에 알맞은 수를 써넣어 식을 계산하세요.

① $\frac{8}{9}\div4=\frac{\square\div4}{36}=\square$

② $\frac{7}{8}\div3=\frac{\square\div3}{24}=\square$

03 계산을 하세요.

① $8\div\frac{1}{9}=$

② $4\div\frac{1}{5}=$

06 5장의 수 카드를 한 번씩 사용하여 계산 결과가 가장 작은 분수의 나눗셈 식을 만들고 답을 구하세요.

1 2 4 7 9

07 나눗셈을 곱셈으로 고쳐서 계산하세요.

① $\frac{3}{5}\times\frac{5}{9}\div\frac{2}{3}=$

② $\frac{2}{7}\div\frac{8}{21}\times\frac{4}{5}=$

08 계산을 하세요.

① $\frac{7}{8}\div7=$

② $5\div\frac{5}{7}=$

✓ 책의 사이사이에 학생의 학습을 돕기 위한 저자의 내용을 잘 이용하세요.

단원의 학습 내용과 방향

한 주차가 시작되는 쪽의 아래에 그 단원의 학습 내용과 어떤 방향으로 공부하는지를 설명해 놓았습니다.
학부모님이나 학생이 단원을 시작하기 전에 가볍게 읽어 보고 공부하도록 해 주세요.

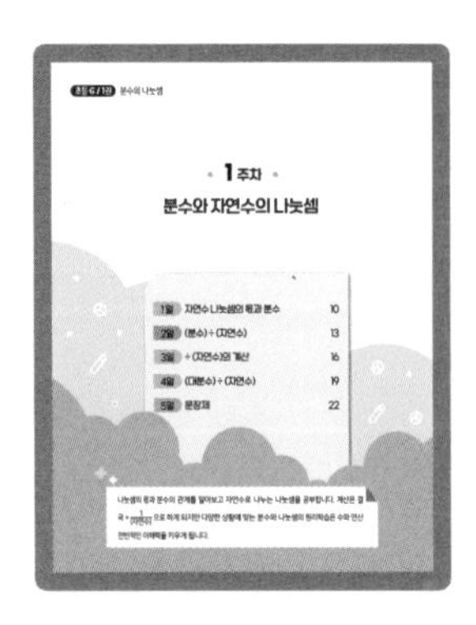

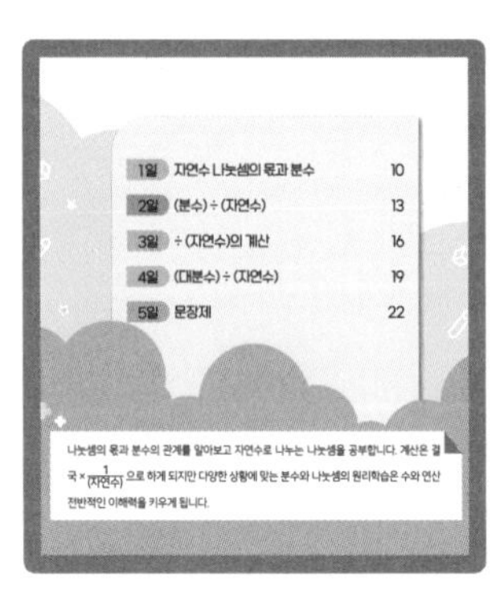

1일	자연수 나눗셈의 몫과 분수	10
2일	(분수) ÷ (자연수)	13
3일	÷ (자연수)의 계산	16
4일	(대분수) ÷ (자연수)	19
5일	문장제	22

나눗셈의 몫과 분수의 관계를 알아보고 자연수로 나누는 나눗셈을 공부합니다. 계산은 결국 $\times \frac{1}{(\text{자연수})}$ 으로 하게 되지만 다양한 상황에 맞는 분수와 나눗셈의 원리학습은 수와 연산 전반적인 이해력을 키우게 됩니다.

이해를 돕는 저자의 동영상 강의

처음 접하는 원리/개념과 연산 방법의 이해를 돕기 위한 동영상 강의가 있으니 이해가 어려운 내용은 QR코드를 이용하여 편리하게 동영상 강의를 보고, 공부하도록 하세요.

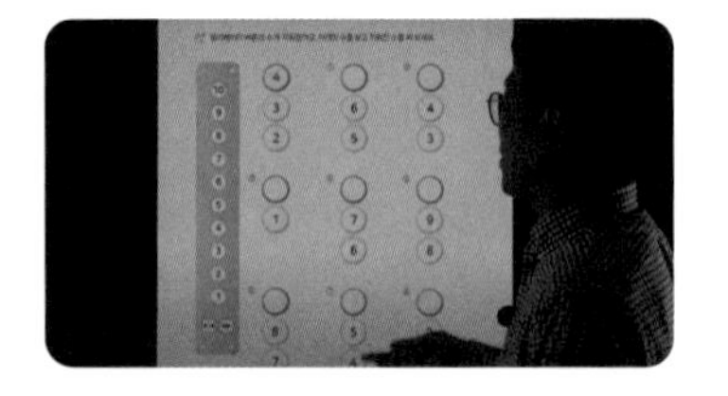

학습 Tip

간략한 도움글은 각 쪽의 아래에 있습니다.

천종현수학연구소 네이버 카페와 홈페이지를 활용하세요.

카페와 홈페이지에는 추가 문제 자료가 있고, 연산 외에서 수학 학습에 어려움을 상담 받을 수 있습니다.

네이버에서 천종현수학연구소를 검색하세요.

1주차

분수와 소수의 관계

분수를 소수로 고치는 방법은 몫이 소수가 되도록 분자를 분모로 나누는 방법과 분자, 분모에 같은 수를 곱해서 분모를 10, 100, 1000, …으로 나타내는 방법이 있습니다. 분수와 소수의 관계를 알아보면서 몫이 소수가 되는 자연수의 나눗셈을 함께 공부하도록 합니다.

나눗셈으로 분수를 소수로 고치기

공부한 날 월 일

- 분수는 (분자)÷(분모)의 의미를 가지고 있습니다. 따라서, 분자를 분모로 나머지 없이 소수점 아래에서 나누어떨어질 때까지 나누면 소수로 바꿀 수 있습니다.

$$\begin{array}{r} 0.375 \\ 8\overline{)3.000} \\ 24 \\ \hline 60 \\ 56 \\ \hline 40 \\ 40 \\ \hline 0 \end{array} \qquad \frac{3}{8} = 0.375$$

$$\begin{array}{r} 0.08 \\ 50\overline{)4.00} \\ 400 \\ \hline 0 \end{array} \qquad \frac{4}{50} = 0.08$$

나누어지는 수는 소수점 아래로 0이 계속 있다고 생각하고 나누어떨어질 때까지 나누고, 몫에 소수점을 나누어지는 수의 소수점과 같은 자리에 찍습니다.

빈칸을 채워서 분수를 소수로 바꾸세요.

① $\begin{array}{r} 0.\square \\ 2\overline{)1.\ 0} \\ \square \\ \hline 0 \end{array}$ $\quad \frac{1}{2} = \square$

② $\begin{array}{r} 0.\square \\ 5\overline{)3.\ 0} \\ \square \\ \hline 0 \end{array}$ $\quad \frac{3}{5} = \square$

③ $\begin{array}{r} 0.\square\square \\ 4\overline{)3.\ 0} \\ \square \\ \hline 2\ \ 0 \\ \square \\ \hline 0 \end{array}$ $\quad \frac{3}{4} = \square$

④ $\begin{array}{r} 0.\square\square \\ 25\overline{)3.\ 0} \\ \square \\ \hline 5\ \ 0 \\ \square \\ \hline 0 \end{array}$ $\quad \frac{3}{25} = \square$

분자를 분모로 나누어 분수를 소수로 바꾸세요.

① $5\overline{)\,1\,}$ $\frac{1}{5}=$ ☐

② $20\overline{)\,1\,}$ $\frac{1}{20}=$ ☐

③ $25\overline{)\,4\,}$ $\frac{4}{25}=$ ☐

④ $50\overline{)\,7\,}$ $\frac{7}{50}=$ ☐

⑤ $8\overline{)\,5\,}$ $\frac{5}{8}=$ ☐

⑥ $125\overline{)\,4\,}$ $\frac{4}{125}=$ ☐

분자를 분모로 나누어 분수를 소수로 바꾸세요.

① $5\overline{)2}$ $\frac{2}{5}=$ ☐

② $4\overline{)1}$ $\frac{1}{4}=$ ☐

③ $25\overline{)1}$ $\frac{1}{25}=$ ☐

④ $20\overline{)13}$ $\frac{13}{20}=$ ☐

⑤ $8\overline{)7}$ $\frac{7}{8}=$ ☐

⑥ $125\overline{)3}$ $\frac{3}{125}=$ ☐

2일 분모를 바꾸어 진분수를 소수로 고치기

월 일

- 100=10×10, 1000=10×10×10이고 10=2×5입니다. 따라서, 분모에 2와 5가 같은 개수로 곱해지도록 분모, 분자에 같은 수를 곱합니다.

$$\frac{3}{8}=\frac{3\quad(\times5\times5\times5)}{2\times2\times2(\times5\times5\times5)}=\frac{375}{10\times10\times10}=\frac{375}{1000}=0.375$$

$$\frac{4}{50}=\frac{4\quad(\times2)}{10\times5(\times2)}=\frac{8}{10\times10}=\frac{8}{100}=0.08$$

빈칸을 채워 분수를 소수로 바꾸세요.

① $\frac{4}{5}=\frac{4(\times\square)}{5(\times\square)}=\frac{\square}{10}=\square$

② $\frac{2}{25}=\frac{2\quad(\times\square\times\square)}{5\times5(\times\square\times\square)}=\frac{\square}{10\times10}=\frac{\square}{100}=\square$

③ $\frac{9}{20}=\frac{9\quad(\times\square)}{10\times2(\times\square)}=\frac{\square}{10\times10}=\frac{\square}{100}=\square$

④ $\frac{13}{50}=\frac{13\quad(\times\square)}{10\times5(\times\square)}=\frac{\square}{10\times10}=\frac{\square}{100}=\square$

⑤ $\frac{9}{125}=\frac{9\quad(\times\square\times\square\times\square)}{5\times5\times5(\times\square\times\square\times\square)}=\frac{\square}{10\times10\times10}=\frac{\square}{1000}=\square$

분수를 소수로 바꾸세요.

① $\frac{1}{5}=$

② $\frac{5}{8}=$

③ $\frac{1}{2}=$

④ $\frac{3}{4}=$

⑤ $\frac{9}{10}=$

⑥ $\frac{7}{20}=$

⑦ $\frac{2}{25}=$

⑧ $\frac{13}{40}=$

⑨ $\frac{11}{50}=$

⑩ $\frac{71}{100}=$

⑪ $\frac{16}{125}=$

⑫ $\frac{99}{250}=$

분수를 소수로 바꾸세요.

① $\frac{1}{4}=$

② $\frac{3}{5}=$

③ $\frac{7}{10}=$

④ $\frac{7}{8}=$

⑤ $\frac{11}{20}=$

⑥ $\frac{9}{25}=$

⑦ $\frac{31}{50}=$

⑧ $\frac{83}{100}=$

⑨ $\frac{21}{125}=$

⑩ $\frac{103}{200}=$

⑪ $\frac{109}{250}=$

⑫ $\frac{67}{500}=$

분모를 바꾸어 대분수를 소수로 고치기

월 일

- 대분수를 소수로 바꿀 때는 대분수의 분수 부분만 소수로 바꾸고, 자연수는 그대로 적습니다.

$$4\frac{3}{20}=4\frac{3\ \ (\times 5)}{10\times 2\,(\times 5)}=4\frac{15}{10\times 10}=4\frac{15}{100}=4.15$$

빈칸을 채워 분수를 소수로 바꾸세요.

① $2\frac{3}{5}=2\frac{3\,(\times\square)}{5\,(\times\square)}=2\frac{\square}{10}=\square$

② $4\frac{9}{25}=4\frac{9\ \ (\times\square\times\square)}{5\times 5\,(\times\square\times\square)}=4\frac{\square}{10\times 10}=4\frac{\square}{100}=\square$

③ $8\frac{7}{8}=8\frac{7\ \ (\times\square\times\square\times\square)}{2\times 2\times 2\,(\times\square\times\square\times\square)}=8\frac{\square}{10\times 10\times 10}$

$=8\frac{\square}{1000}=\square$

④ $5\frac{13}{20}=5\frac{13\ \ (\times\square)}{10\times 2\,(\times\square)}=5\frac{\square}{10\times 10}=5\frac{\square}{100}=\square$

⑤ $4\frac{3}{4}=4\frac{3\ \ (\times\square\times\square)}{2\times 2\,(\times\square\times\square)}=4\frac{\square}{10\times 10}=4\frac{\square}{100}=\square$

분수를 소수로 바꾸세요.

① $4\frac{1}{2}=$

② $1\frac{4}{5}=$

③ $3\frac{1}{4}=$

④ $2\frac{3}{8}=$

⑤ $1\frac{9}{10}=$

⑥ $7\frac{17}{20}=$

⑦ $6\frac{21}{25}=$

⑧ $5\frac{31}{50}=$

⑨ $2\frac{89}{100}=$

⑩ $9\frac{37}{125}=$

⑪ $4\frac{77}{250}=$

⑫ $3\frac{97}{500}=$

분수를 소수로 바꾸세요.

① $3\frac{1}{2}=$

② $2\frac{2}{5}=$

③ $7\frac{2}{5}=$

④ $1\frac{7}{8}=$

⑤ $6\frac{19}{20}=$

⑥ $4\frac{3}{10}=$

⑦ $5\frac{23}{25}=$

⑧ $8\frac{37}{50}=$

⑨ $2\frac{67}{100}=$

⑩ $7\frac{79}{125}=$

⑪ $4\frac{129}{200}=$

⑫ $9\frac{191}{250}=$

4 일 소수를 분수로 고치기

월 일

- 소수를 분수로 바꿀 때는 소수의 소수점 아래 자리의 수만큼 10, 100, 1000이 분모인 분수로 바꾸고 분모, 분자를 약분하여 기약분수로 나타냅니다.

$0.24 = \frac{24}{100} = \frac{6}{25}$ $4.18 = 4\frac{18}{100} = 4\frac{9}{50}$

빈칸을 채워 소수를 분수로 바꾸세요.

① $0.85 = \frac{\square}{\square} = \frac{\square}{\square}$

② $4.125 = \square\frac{\square}{\square} = \square\frac{\square}{\square}$

③ $6.25 = \square\frac{\square}{\square} = \square\frac{\square}{\square}$

④ $3.5 = \square\frac{\square}{\square} = \square\frac{\square}{\square}$

⑤ $0.875 = \frac{\square}{\square} = \frac{\square}{\square}$

⑥ $1.65 = \square\frac{\square}{\square} = \square\frac{\square}{\square}$

⑦ $4.048 = \square\frac{\square}{\square} = \square\frac{\square}{\square}$

⑧ $7.955 = \square\frac{\square}{\square} = \square\frac{\square}{\square}$

⑨ $1.285 = \square\frac{\square}{\square} = \square\frac{\square}{\square}$

⑩ $8.442 = \square\frac{\square}{\square} = \square\frac{\square}{\square}$

소수를 분수로 바꾸세요.

① 0.4 =

② 0.9 =

③ 0.34 =

④ 4.84 =

⑤ 1.75 =

⑥ 3.5 =

⑦ 6.165 =

⑧ 0.625 =

⑨ 3.18 =

⑩ 7.475 =

⑪ 8.285 =

⑫ 5.468 =

소수를 분수로 바꾸세요.

① 0.8 =

② 1.78 =

③ 2.55 =

④ 3.375 =

⑤ 8.48 =

⑥ 6.484 =

⑦ 5.315 =

⑧ 0.762 =

⑨ 9.096 =

⑩ 2.54 =

⑪ 7.346 =

⑫ 4.952 =

연산 퍼즐

나눗셈의 계산 결과와 같은 것을 선으로 이으세요.

나눗셈	분수	소수
1 ÷ 2	$\frac{75}{100}$	0.34
7 ÷ 25	$\frac{5}{10}$	0.28
3 ÷ 4	$\frac{264}{1000}$	0.264
11 ÷ 20	$\frac{28}{100}$	0.5
33 ÷ 125	$\frac{34}{100}$	0.75
17 ÷ 50	$\frac{55}{100}$	0.55

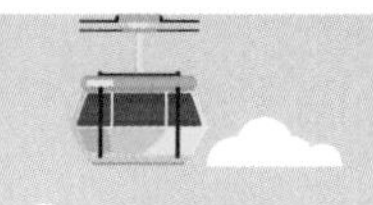

분모, 분자에 어떤 수를 곱해서 분모를 10으로 바꿀 수 있는 분수는 ◯표, 100으로 바꿀 수 있는 분수는 △표, 1000으로 바꿀 수 있는 분수는 □표 하세요. (단, 10으로 바꿀 수 있는 분수는 ◯표만, 100으로 바꿀 수 있는 분수는 △표만 합니다.)

① $\frac{1}{2}$

② $\frac{1}{4}$

③ $\frac{1}{5}$

④ $\frac{1}{8}$

⑤ $\frac{1}{20}$

⑥ $\frac{1}{25}$

⑦ $\frac{1}{40}$

⑧ $\frac{1}{125}$

⑨ $\frac{1}{250}$

문제를 읽고 알맞은 답을 써 보세요.

① 3 m의 줄을 8도막으로 똑같이 나누면 한 도막은 몇 m가 되는지 소수로 나타내세요.

답 : ______ m

② 수연이가 줄넘기를 20개 하는 동안 시간을 재었더니 17초가 걸렸습니다. 줄을 한 번 넘는 데 몇 초가 걸린 꼴인지 소수로 나타내세요.

답 : ______ 초

③ 희성이가 1 L짜리 오렌지 주스를 사와서 $\frac{1}{4}$ 을 마셨습니다. 남은 주스는 몇 L인지 소수로 나타내세요.

답 : ______ L

④ 1 km 거리를 자전거를 타고 가다가 표지판을 보니 목적지까지 남은 거리가 0.125 km입니다. 지금까지 온 거리는 전체 거리의 몇 분의 몇인지 분수로 나타내세요.

답 : ______

2주차

(소수/자연수)÷(자연수)

몫이 소수가 되는 자연수의 나눗셈은 자연수끼리의 나눗셈으로 생각하고, 나누어지는 수의 소수점 아래 자리의 수만큼 소수점을 이동하면 됩니다. 수가 간단한 것은 가로셈으로 해결할 수 있지만 수가 커지면 세로셈으로 해결하는 것이 편합니다.

(소수)÷(자연수)

월 일

- (소수)÷(자연수)는 소수를 자연수로 생각하여 나누고 나누어진 소수의 소수점 아래 자리의 수만큼 소수점을 이동하면 됩니다.

$$0.94 \div 4 = (94 \div 100) \div 4$$
$$= (94 \div 4) \div 100 = 23.5 \div 100 = 0.235$$

자연수 나눗셈을 보고 소수 나눗셈의 몫을 구하세요.

① $24 \div 4 = 6$

$2.4 \div 4 =$

② $36 \div 9 = 4$

$0.36 \div 9 =$

③ $126 \div 3 = 42$

$12.6 \div 3 =$

④ $312 \div 12 = 26$

$0.312 \div 12 =$

⑤ $16 \div 20 = 0.8$

$1.6 \div 20 =$

⑥ $38 \div 4 = 9.5$

$0.38 \div 4 =$

⑦ $3 \div 8 = 0.375$

$0.3 \div 8 =$

⑧ $606 \div 12 = 50.5$

$6.06 \div 12 =$

Tip

분수로 생각해도 계산 방법은 같습니다. $\frac{94}{100} \div 4 = \frac{94 \div 4}{100} = \frac{23.5}{100} = 0.235$

계산을 하세요.

① $6.8 \div 2 =$

② $2.4 \div 3 =$

③ $19.6 \div 8 =$

④ $8.36 \div 4 =$

⑤ $75.6 \div 12 =$

⑥ $9.54 \div 9 =$

⑦ $7.41 \div 3 =$

⑧ $42.98 \div 7 =$

⑨ $9.1 \div 5 =$

⑩ $5.6 \div 8 =$

⑪ $18.3 \div 6 =$

⑫ $70.4 \div 5 =$

⑬ $7.5 \div 15 =$

⑭ $1.08 \div 27 =$

⑮ $41.6 \div 13 =$

계산을 하세요.

① $1.96 \div 2 =$

② $19.6 \div 7 =$

③ $36.24 \div 4 =$

④ $42.4 \div 8 =$

⑤ $1.6 \div 20 =$

⑥ $9.6 \div 6 =$

⑦ $60.6 \div 12 =$

⑧ $17.5 \div 2 =$

⑨ $7.2 \div 9 =$

⑩ $1.28 \div 16 =$

⑪ $37.1 \div 53 =$

⑫ $4.65 \div 15 =$

⑬ $57.4 \div 14 =$

⑭ $26.4 \div 12 =$

⑮ $79.5 \div 15 =$

(소수)÷(자연수) 세로셈

공부한 날 월 일

- 나누어지는 수의 아래 자리로 계속 0이 있다고 생각하고 자리에 맞춰 나누어떨어질 때까지 나눗셈을 하고, 소수점은 나누어지는 수에 맞추어 찍습니다.

```
4)7.8   →     1        →    1.9       →    1.95
            4)7.8         4)7.8          4)7.80
              4             4              4
              38            38             38
                            36             36
                             2              20
                                            20
                                             0
```

빈칸에 알맞은 수를 써넣으세요.

①
```
     0.□
  2)1.4
     □
     0
```

②
```
     0.□
 13)5.2
     □
     0
```

③
```
     0.□
 12)9.6
     □
     0
```

④
```
     0.□□
  4)3.8
     □
     20
     □
      0
```

⑤
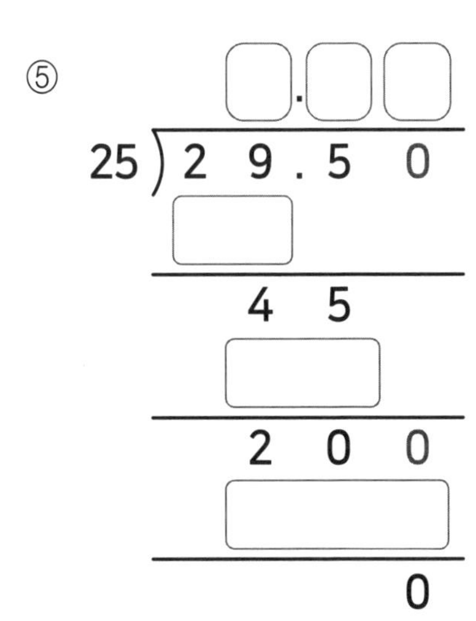

⑥
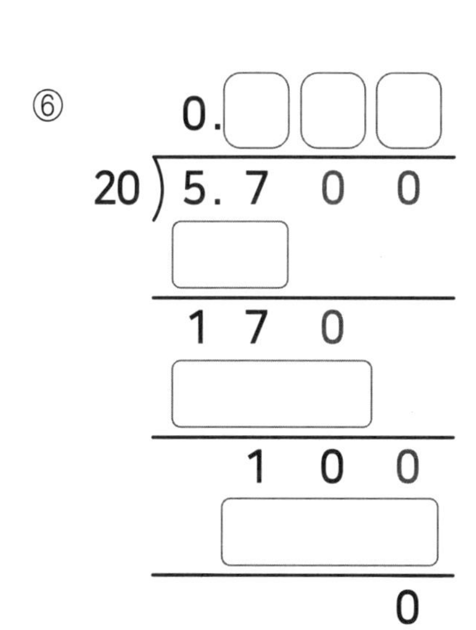

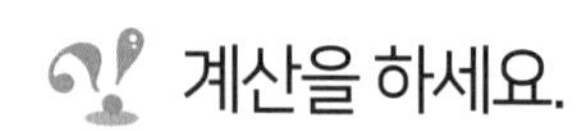

계산을 하세요.

① $4\overline{)3.2}$

② $9\overline{)45.63}$

③ $9\overline{)7.2}$

④ $11\overline{)17.6}$

⑤ $4\overline{)36.4}$

⑥ $12\overline{)84.96}$

⑦ $17\overline{)57.8}$

⑧ $9\overline{)7.47}$

⑨ $3\overline{)16.2}$

⑩ $5\overline{)32.5}$

⑪ $8\overline{)48.56}$

⑫ $3\overline{)1.41}$

계산을 하세요.

① $26\overline{)3.9}$

② $48\overline{)2.4}$

③ $15\overline{)6.9}$

④ $8\overline{)8.4}$

⑤ $5\overline{)15.1}$

⑥ $25\overline{)76.5}$

⑦ $18\overline{)36.9}$

⑧ $12\overline{)64.2}$

⑨ $30\overline{)19.2}$

⑩ $15\overline{)38.4}$

⑪ $5\overline{)40.6}$

⑫ $4\overline{)33.4}$

(소수/자연수)÷(자연수) 연습

공부한 날 월 일

계산을 하세요.

① $10.3 \div 5 =$

② $1.2 \div 3 =$

③ $16 \div 25 =$

④ $18.46 \div 4 =$

⑤ $9.06 \div 6 =$

⑥ $24 \div 15 =$

⑦ $35 \div 25 =$

⑧ $10.38 \div 15 =$

⑨ $43.61 \div 7 =$

계산을 하세요.

① $2.6 \div 2 =$

② $16.8 \div 12 =$

③ $21 \div 14 =$

④ $27.45 \div 5 =$

⑤ $35.1 \div 9 =$

⑥ $29.19 \div 7 =$

⑦ $10.41 \div 6 =$

⑧ $11.83 \div 7 =$

⑨ $37.5 \div 50 =$

화살표를 따라 ☐를 ☐로 나누어떨어지도록 나누어 빈칸에 몫을 써넣으세요.

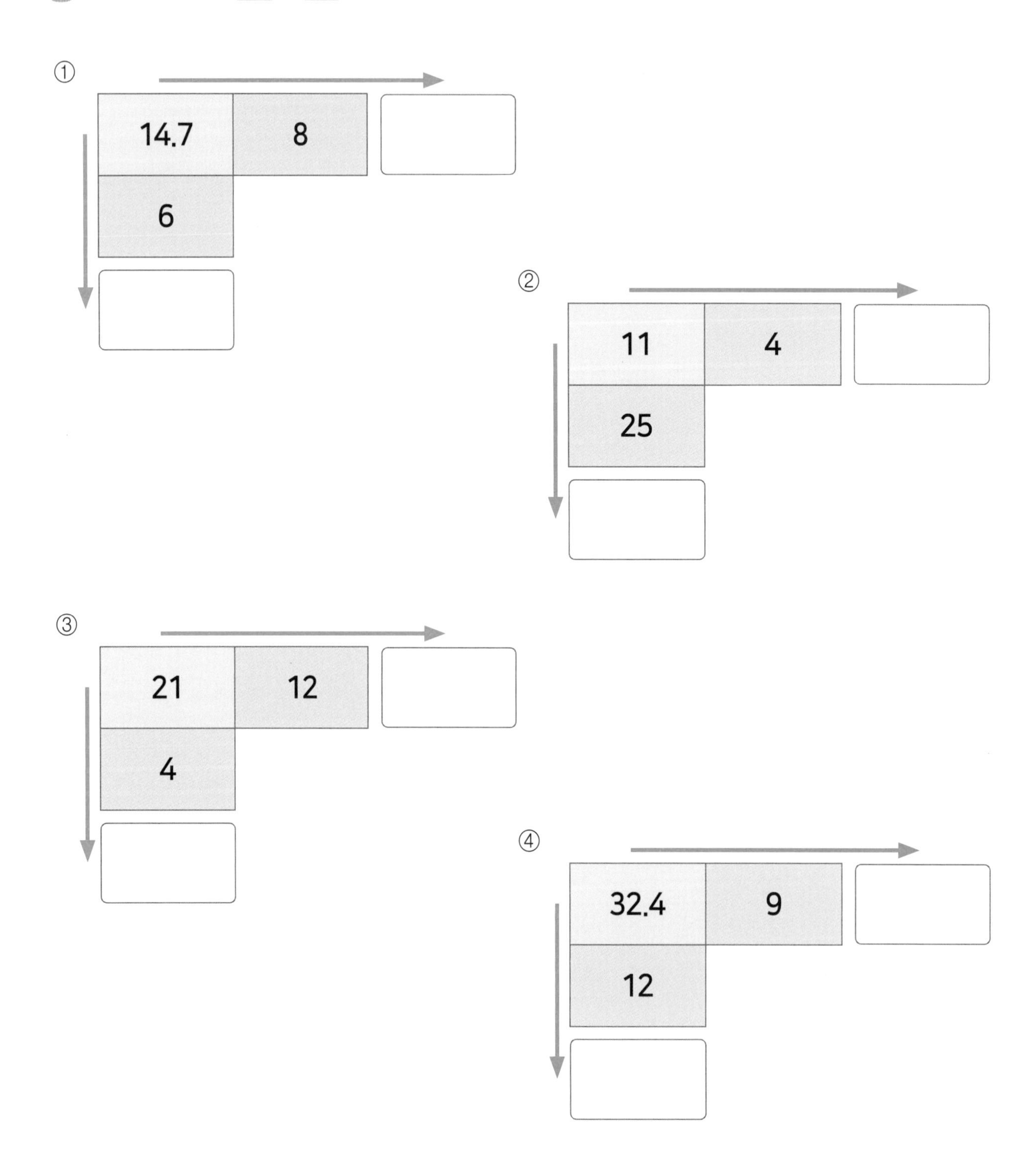

연산 퍼즐

공부한 날 월 일

4개의 식 중에서 몫이 다른 하나의 식에 ◯표 하세요.

$32.24 \div 26$	$15.6 \div 12$
$27.28 \div 22$	$11.16 \div 9$

$35.2 \div 5$	$73.5 \div 21$
$28 \div 8$	$105 \div 30$

$5.27 \div 31$	$1.02 \div 6$
$1.87 \div 11$	$3.78 \div 21$

$92.7 \div 9$	$123.6 \div 12$
$127.4 \div 13$	$154.5 \div 15$

주어진 숫자 카드를 빈칸에 넣어 몫이 가장 작은 나눗셈식을 만들고 몫을 구하세요.

① 1 8 2 　 □.□ ÷ □ =

② 6 5 7 　 □.□ ÷ □ =

③ 1 5 4 　 □.□ ÷ □ =

④ 2 7 5 4 　 □□.□ ÷ □ =

⑤ 2 1 6 9 　 □□.□ ÷ □ =

⑥ 7 9 3 8 　 □.□□ ÷ □ =

⑦ 3 6 2 4 　 □.□□ ÷ □ =

□에 알맞은 숫자를 구하세요.

① $6.\square 8 \times 4 = 24.32$

② $5 \times \square.15 = 25.75$

③ $0.\square 5 \times 14 = 2.1$

④ $7 \times \square.69 = 11.83$

⑤ $1.\square 9 \times 8 = 9.52$

⑥ $50 \times 0.\square 5 = 37.5$

⑦ $4.\square \times 12 = 54$

⑧ $16 \times 1.\square = 30.4$

⑨ $0.\square 2 \times 75 = 9$

⑩ $19 \times 1.\square 3 = 23.37$

문장제

문제를 읽고 알맞은 식과 답을 써 보세요.

★ 오른쪽 사다리꼴의 넓이는 12.66 cm^2입니다. 이 사다리꼴의 높이를 구해 봅시다.

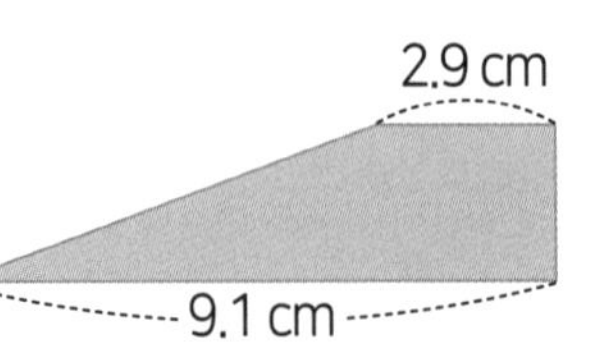

① 사다리꼴의 높이를 □라고 하여 넓이를 구하는 식을 세우세요.

답 : ______________________

② 사다리꼴의 높이는 몇 cm인가요?

식 : ______________________ 답 : ________ cm

③ 넓이가 67.6 cm^2인 삼각형의 밑변의 길이가 13 cm일 때, 삼각형의 높이는 몇 cm인가요?

식 : ______________________ 답 : ________ cm

④ 넓이가 69.74 cm^2인 마름모의 한 대각선의 길이가 11 cm일 때, 다른 대각선의 길이는 몇 cm인가요?

식 : ______________________ 답 : ________ cm

문제를 읽고 알맞은 식과 답을 써 보세요.

① 주은이는 폭이 14 m인 건널목을 5초 만에 건넜습니다. 1초에 몇 m를 갔나요?

식 : ______________ 답 : ______ m

② 2 L의 물을 50개의 종이컵에 똑같이 나누어 담았습니다. 한 컵에 담긴 물은 몇 L인가요?

식 : ______________ 답 : ______ L

③ 둘레가 15.34 m인 마름모의 한 변의 길이는 몇 m인가요?

식 : ______________ 답 : ______ m

④ 12에 어떤 수를 곱했더니 162입니다. 어떤 수는 몇인가요?

식 : ______________ 답 : ______

문제를 읽고 알맞은 식과 답을 써 보세요.

① 둘레의 길이가 12.5 cm인 정사각형의 한 변의 길이는 몇 cm인가요?

식 : ______________________ 답 : ________ cm

② 30.68 m 길이의 끈을 13등분하면 한 도막의 길이는 몇 m인가요?

식 : ______________________ 답 : ________ m

③ 2.04 kg의 밀가루를 6봉지에 똑같이 나누어 담았습니다. 한 봉지에 담긴 밀가루는 몇 kg인가요?

식 : ______________________ 답 : ________ kg

④ 준서가 용량이 똑같은 사진 파일 9개의 용량의 합을 확인해 보니 104.4 MB입니다. 사진 파일 1개의 용량은 몇 MB인가요?

식 : ______________________ 답 : ________ MB

3주차

도전! 계산왕

(자연수/소수)÷(자연수)

계산을 하세요.

① $15\overline{)18}$

② $8\overline{)41.6}$

③ $8\overline{)2.24}$

④ $5\overline{)19.5}$

⑤ $14\overline{)98.14}$

⑥ $18\overline{)21.6}$

⑦ $12\overline{)9.6}$

⑧ $5\overline{)10.3}$

⑨ $3\overline{)71.1}$

⑩ $4\overline{)24.04}$

⑪ $8\overline{)33.6}$

⑫ $17\overline{)154.7}$

(자연수/소수)÷(자연수)

계산을 하세요.

① $9\overline{)9.72}$

② $4\overline{)34.4}$

③ $8\overline{)49.6}$

④ $5\overline{)39}$

⑤ $19\overline{)8.93}$

⑥ $7\overline{)87.5}$

⑦ $21\overline{)182.7}$

⑧ $26\overline{)7.8}$

⑨ $13\overline{)74.1}$

⑩ $16\overline{)8.8}$

⑪ $7\overline{)2.52}$

⑫ $11\overline{)2.75}$

(자연수/소수)÷(자연수)

계산을 하세요.

① $26\overline{)91}$

② $8\overline{)34.4}$

③ $21\overline{)5.25}$

④ $13\overline{)11.83}$

⑤ $11\overline{)58.3}$

⑥ $22\overline{)13.2}$

⑦ $4\overline{)0.92}$

⑧ $34\overline{)765}$

⑨ $15\overline{)34.5}$

⑩ $4\overline{)1.28}$

⑪ $9\overline{)72.09}$

⑫ $13\overline{)41.6}$

(자연수/소수)÷(자연수)

공부한 날	월 일
점수	/12

계산을 하세요.

① $4\overline{)3.2}$

② $9\overline{)45.63}$

③ $9\overline{)7.2}$

④ $11\overline{)17.6}$

⑤ $4\overline{)36.4}$

⑥ $12\overline{)84.96}$

⑦ $17\overline{)57.8}$

⑧ $9\overline{)7.47}$

⑨ $3\overline{)16.2}$

⑩ $5\overline{)32.5}$

⑪ $8\overline{)48.56}$

⑫ $3\overline{)1.41}$

(자연수/소수)÷(자연수)

공부한 날	월 일
점수	/12

계산을 하세요.

① $26 \overline{)\,3.9}$

② $48 \overline{)\,2.4}$

③ $15 \overline{)\,6.9}$

④ $8 \overline{)\,8.4}$

⑤ $5 \overline{)\,15.1}$

⑥ $25 \overline{)\,76.5}$

⑦ $18 \overline{)\,36.9}$

⑧ $12 \overline{)\,64.2}$

⑨ $30 \overline{)\,19.2}$

⑩ $15 \overline{)\,38.4}$

⑪ $5 \overline{)\,40.6}$

⑫ $4 \overline{)\,33.4}$

(자연수/소수)÷(자연수)

공부한 날	월 일
점수	/12

계산을 하세요.

① $5\overline{)26}$

② $16\overline{)134.4}$

③ $24\overline{)54}$

④ $6\overline{)0.84}$

⑤ $6\overline{)42.06}$

⑥ $5\overline{)35.4}$

⑦ $12\overline{)9.6}$

⑧ $12\overline{)76.8}$

⑨ $9\overline{)9.63}$

⑩ $12\overline{)47.64}$

⑪ $21\overline{)88.2}$

⑫ $7\overline{)7.14}$

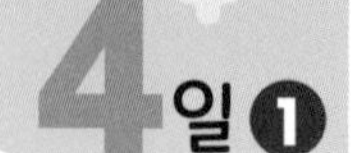

(자연수/소수)÷(자연수)

공부한 날	월 일
점수	/12

계산을 하세요.

① $8\overline{)47.2}$

② $21\overline{)44.1}$

③ $19\overline{)19.76}$

④ $2\overline{)17}$

⑤ $26\overline{)195}$

⑥ $10\overline{)12.8}$

⑦ $14\overline{)109.2}$

⑧ $9\overline{)57.6}$

⑨ $5\overline{)32.1}$

⑩ $36\overline{)306}$

⑪ $13\overline{)19.5}$

⑫ $6\overline{)58.8}$

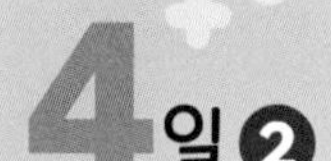

(자연수/소수)÷(자연수)

공부한 날	월 일
점수	/12

계산을 하세요.

① $18\overline{)129.6}$

② $18\overline{)41.4}$

③ $7\overline{)62.3}$

④ $9\overline{)3.24}$

⑤ $6\overline{)51}$

⑥ $13\overline{)67.6}$

⑦ $4\overline{)12.84}$

⑧ $16\overline{)36.8}$

⑨ $13\overline{)41.6}$

⑩ $12\overline{)24.12}$

⑪ $19\overline{)114.38}$

⑫ $8\overline{)5}$

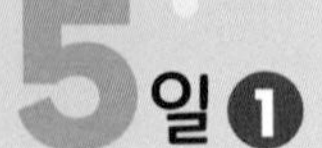

(자연수/소수)÷(자연수)

계산을 하세요.

① $5\overline{)4}$

② $14\overline{)28.7}$

③ $12\overline{)48.72}$

④ $9\overline{)5.67}$

⑤ $13\overline{)16.9}$

⑥ $24\overline{)73.92}$

⑦ $5\overline{)1.05}$

⑧ $9\overline{)5.22}$

⑨ $4\overline{)13}$

⑩ $18\overline{)9.72}$

⑪ $3\overline{)37.5}$

⑫ $16\overline{)36.8}$

(자연수/소수)÷(자연수)

계산을 하세요.

① $8\overline{)44}$

② $7\overline{)59.15}$

③ $25\overline{)105}$

④ $15\overline{)11.7}$

⑤ $12\overline{)100.8}$

⑥ $9\overline{)5.85}$

⑦ $24\overline{)20.64}$

⑧ $9\overline{)56.7}$

⑨ $6\overline{)17.4}$

⑩ $36\overline{)93.6}$

⑪ $18\overline{)46.8}$

⑫ $9\overline{)8.28}$

MEMO

4주차

소수의 나눗셈

소수로 나누는 나눗셈은 나누는 수와 나누어지는 수에 똑같은 수를 곱해도 몫은 변하지 않는다는 점을 이용하여 수를 자연수로 만들어서 계산할 수 있습니다.

(소수/자연수)÷(소수)

공부한 날 월 일

- (자연수)÷(소수)에서 두 수에 10, 100, 1000과 같은 수를 똑같이 곱해서 나누는 수를 자연수로 만든 후에 나눗셈을 계산할 수 있습니다.

$$8 \div 0.25 = 8 \div \frac{25}{100} = 8 \times \frac{100}{25} = (8 \times 100) \div 25 = 800 \div 25 = 32$$

$$8 \div 0.25 = 800 \div 25 = 32$$

나누는 수가 자연수가 되도록 100을 두 수에 곱했습니다.

자연수 나눗셈을 보고 소수 나눗셈의 몫을 구하세요.

① $35 \div 7 = 5$

$35 \div 0.7 =$

② $126 \div 14 = 9$

$126 \div 0.14 =$

③ $170 \div 34 = 5$

$17 \div 3.4 =$

④ $138 \div 23 = 6$

$138 \div 2.3 =$

⑤ $540 \div 135 = 4$

$54 \div 0.135 =$

⑥ $232 \div 29 = 8$

$232 \div 0.29 =$

⑦ $384 \div 24 = 16$

$384 \div 0.24 =$

⑧ $960 \div 15 = 64$

$96 \div 0.015 =$

⑨ $775 \div 25 = 31$

$775 \div 2.5 =$

⑩ $9700 \div 194 = 50$

$97 \div 0.194 =$

- (소수)÷(소수)도 마찬가지로 두 수에 10, 100, 1000과 같은 수를 똑같이 곱해서 나누는 수를 자연수로 만든 후에 나눗셈을 계산할 수 있습니다.

$$0.94 \div 0.4 = \frac{94}{100} \div \frac{4}{10} = \frac{94}{\cancel{100}_{10}} \times \frac{\cancel{10}^{1}}{4} = (94 \div 10) \div 4 = 9.4 \div 4 = 2.35$$

$$0.94 \div 0.4 = 9.4 \div 4 = 2.35$$

나누는 수가 자연수가 되도록 10을 두 수에 곱했습니다.

자연수 나눗셈을 보고 소수 나눗셈의 몫을 구하세요.

① $36 \div 4 = 9$

$0.36 \div 0.4 =$

② $112 \div 14 = 8$

$1.12 \div 1.4 =$

③ $252 \div 12 = 21$

$25.2 \div 0.12 =$

④ $896 \div 128 = 7$

$89.6 \div 0.128 =$

⑤ $168 \div 42 = 4$

$0.168 \div 4.2 =$

⑥ $621 \div 27 = 23$

$6.21 \div 2.7 =$

⑦ $688 \div 43 = 16$

$6.88 \div 0.43 =$

⑧ $3562 \div 137 = 26$

$3.562 \div 13.7 =$

⑨ $6936 \div 408 = 17$

$69.36 \div 0.408 =$

⑩ $4032 \div 56 = 72$

$4.032 \div 0.56 =$

계산을 하세요.

① $1.62 \div 5.4 =$

② $1.68 \div 4.2 =$

③ $1.44 \div 2.4 =$

④ $82.8 \div 4.14 =$

⑤ $4.5 \div 0.9 =$

⑥ $2.48 \div 0.8 =$

⑦ $8.4 \div 1.2 =$

⑧ $31.5 \div 4.5 =$

⑨ $2.88 \div 3.6 =$

⑩ $4.32 \div 5.4 =$

⑪ $9.6 \div 0.6 =$

⑫ $22.5 \div 0.5 =$

⑬ $36.5 \div 7.3 =$

⑭ $0.87 \div 0.3 =$

⑮ $3.15 \div 0.7 =$

공부한 날 월 일

(소수/자연수)÷(소수) 세로셈

동영상 해설

- 나누는 수가 소수일 때는 자연수가 되도록 소수점을 옮깁니다. 이때, 나누어지는 수의 소수점도 똑같이 소수점을 이동하고 앞에서 공부한 (소수)÷(자연수) 또는 (자연수)÷(자연수)로 계산합니다.

0.8) 4.0 8 → 8) 4 0.8 → 8) 4 0.8 (몫 5, 40, 8) → 8) 4 0.8 (몫 5.1, 40, 8, 8, 0)

나누는 수인 0.8이 8이 되도록 두 수의 소수점을 오른쪽으로 한 칸씩 이동

2.5) 2.0 → 25) 2 0 → 25) 2 0. (몫 0.8, 200, 0)

나누는 수인 2.5가 25가 되도록 두 수의 소수점을 오른쪽으로 한 칸씩 이동

빈칸에 알맞은 수를 써넣으세요.

① 4) 3.8 (몫 0.□□, □, 20, □, 0)

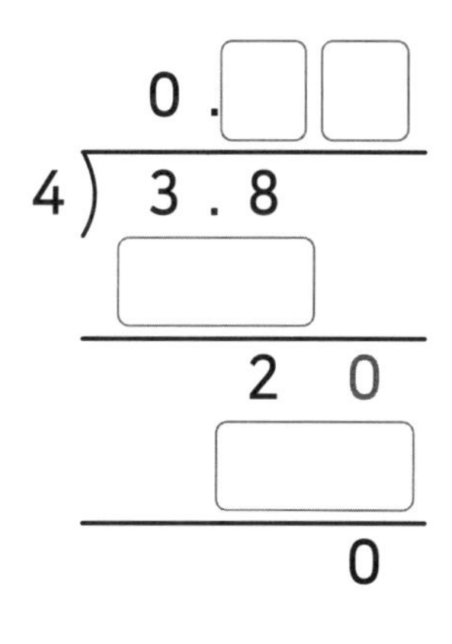

② 25) 29.50 (몫 □.□□, □, 45, □, 200, □, 0)

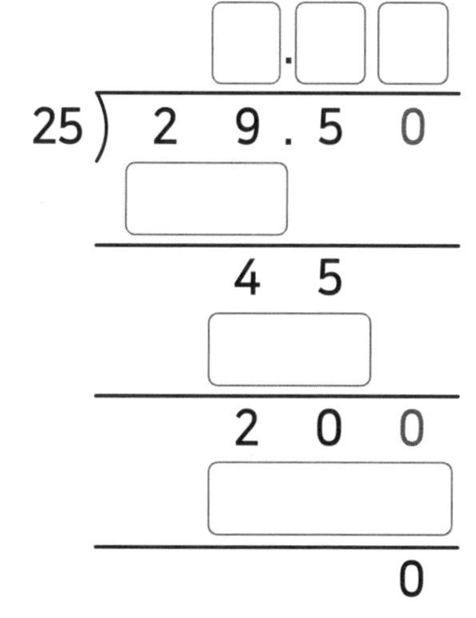

③ 20) 5.700 (몫 0.□□□, □, 170, □, 100, □, 0)

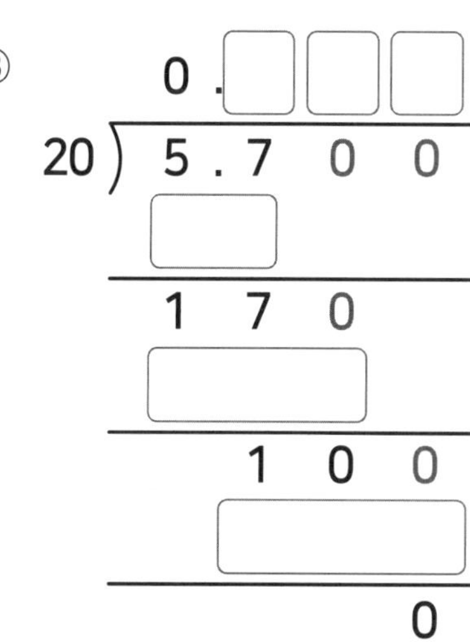

계산을 하세요.

① $1.5\overline{)\,7.5}$

② $1.6\overline{)\,49.6}$

③ $2.8\overline{)\,16.8}$

④ $7.2\overline{)\,5.76}$

⑤ $2.4\overline{)\,5.04}$

⑥ $11.2\overline{)\,13.44}$

⑦ $4.6\overline{)\,11.04}$

⑧ $3.6\overline{)\,28.8}$

⑨ $1.2\overline{)\,0.72}$

⑩ $4.3\overline{)\,9.89}$

⑪ $3.2\overline{)\,21.12}$

⑫ $2.3\overline{)\,16.79}$

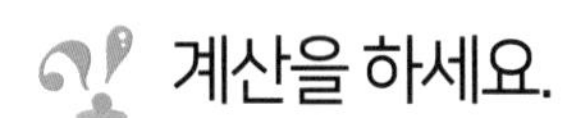

계산을 하세요.

① $1.2\overline{)\,9}$

② $0.5\overline{)\,2.23}$

③ $1.6\overline{)\,2.16}$

④ $20.5\overline{)\,13.12}$

⑤ $2.5\overline{)\,12}$

⑥ $8.4\overline{)\,32.34}$

⑦ $5.4\overline{)\,28.89}$

⑧ $0.7\overline{)\,9.59}$

⑨ $3.2\overline{)\,17.6}$

⑩ $2.5\overline{)\,52.4}$

⑪ $2.4\overline{)\,18}$

⑫ $0.4\overline{)\,25.3}$

÷(소수) 연습

월 일

계산을 하세요.

① $70.14 \div 1.5 =$

② $9.18 \div 5.1 =$

③ $48.72 \div 0.87 =$

④ $86.73 \div 3.54 =$

⑤ $13.77 \div 0.9 =$

⑥ $34.84 \div 6.5 =$

⑦ $2.1 \div 0.04 =$

⑧ $9.694 \div 7.4 =$

⑨ $17.75 \div 2.84 =$

계산을 하세요.

① $24 \div 2.5 =$

② $2.812 \div 3.7 =$

③ $13.216 \div 4.72 =$

④ $1.836 \div 5.1 =$

⑤ $15.37 \div 2.9 =$

⑥ $67.21 \div 7.15 =$

⑦ $65.321 \div 8.3 =$

⑧ $8.61 \div 10.5 =$

⑨ $74.16 \div 4.8 =$

같은 위치의 수를 나누어 몫을 아래의 표에 써넣으세요.

7.123	21.85	4.12
45.9	3.822	36.89
13.11	2.583	36.04

÷

1.7	2.3	0.8
6.12	9.1	3.4
5.7	0.9	4.24

7.123 ÷ 1.7 = 4.19

=

4.19		

연산 퍼즐

몫이 같은 나눗셈에 ○표 하세요.

$2.6\overline{)7.8}$	$26\overline{)0.78}$	$26\overline{)78}$	$26\overline{)780}$
$0.6\overline{)2.16}$	$6\overline{)0.216}$	$6\overline{)21.6}$	$6\overline{)216}$
$1.2\overline{)0.96}$	$12\overline{)0.96}$	$12\overline{)9.6}$	$12\overline{)96}$
$0.25\overline{)97.5}$	$25\overline{)0.975}$	$25\overline{)975}$	$25\overline{)9750}$
$5.2\overline{)67.6}$	$52\overline{)6.76}$	$52\overline{)676}$	$52\overline{)6760}$
$3.5\overline{)22.4}$	$35\overline{)224}$	$35\overline{)22.4}$	$35\overline{)2.24}$
$4.1\overline{)22.55}$	$41\overline{)22.55}$	$41\overline{)2.255}$	$41\overline{)225.5}$

나눗셈의 몫의 소수점을 알맞은 위치에 표시하세요.

① $6615 \div 63 = 105$

$66.15 \div 6.3 = 1\ 0\ 5$

② $19225 \div 25 = 769$

$19.225 \div 2.5 = 7\ 6\ 9$

③ $11232 \div 48 = 234$

$11.232 \div 0.48 = 2\ 3\ 4$

④ $29281 \div 47 = 623$

$29.281 \div 4.7 = 6\ 2\ 3$

⑤ $32706 \div 69 = 474$

$3.2706 \div 0.69 = 4\ 7\ 4$

⑥ $43213 \div 79 = 547$

$432.13 \div 7.9 = 5\ 4\ 7$

⑦ $2450 \div 5 = 490$

$2.45 \div 0.5 = 4\ 9\ 0$

⑧ $2136 \div 8 = 267$

$21.36 \div 0.8 = 2\ 6\ 7$

⑨ $25803 \div 47 = 549$

$2.5803 \div 0.47 = 5\ 4\ 9$

⑩ $30108 \div 39 = 772$

$301.08 \div 3.9 = 7\ 7\ 2$

⑪ $39490 \div 55 = 718$

$39.49 \div 5.5 = 7\ 1\ 8$

⑫ $27300 \div 75 = 364$

$27.3 \div 7.5 = 3\ 6\ 4$

빈칸에 나눗셈의 계산 결과를 써넣으세요.

2350	÷ 4	
	÷ 0.4	
	÷ 0.04	

86.4	÷ 7.2	
8.64		
0.864		

327	÷ 6	
	÷ 0.6	
	÷ 0.06	

2.07	÷ 0.03	
20.7		
207		

3.72	÷ 3	
	÷ 0.3	
	÷ 0.03	

1.008	÷ 1.2	
10.08		
100.8		

12.36	÷ 0.12	
	÷ 1.2	
	÷ 12	

720.9	÷ 0.9	
72.09		
7.209		

공부한 날 월 일

글과 그림을 보고 물음에 알맞은 식을 세우고 답을 구하세요.

다음은 민철이네 집과 도서관, 학교 사이의 거리를 나타낸 것입니다.

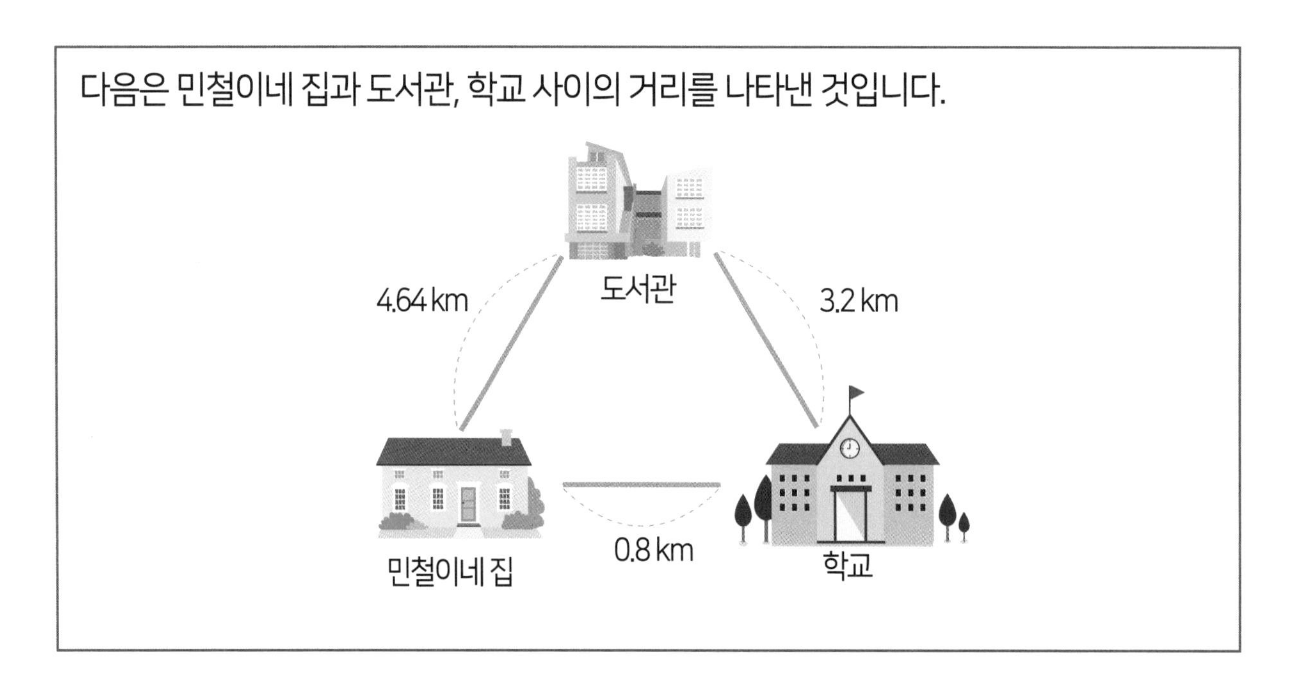

① 민철이네 집에서 도서관까지의 거리는 학교에서 도서관까지의 거리의 몇 배인가요?

식 : ______________________ 답 : ________ 배

② 민철이네 집에서 도서관까지의 거리는 민철이네 집에서 학교까지의 거리의 몇 배인가요?

식 : ______________________ 답 : ________ 배

③ 도서관에서 학교까지의 거리는 민철이네 집에서 학교까지의 거리의 몇 배인가요?

식 : ______________________ 답 : ________ 배

문제를 읽고 알맞은 식과 답을 써 보세요.

① 길이가 6.4 cm인 용수철에 추를 매달았더니 용수철이 늘어나 22.4 cm가 되었습니다. 늘어난 용수철은 처음 용수철 길이의 몇 배인가요?

식 : ______________________ 답 : ________ 배

② 길이가 32.4 m인 줄을 1.2 m씩 자르려고 합니다. 줄은 몇 조각이 생기나요?

식 : ______________________ 답 : ________ 조각

③ 휘발유 1 L로 1.24 km를 달릴 수 있는 자동차가 있습니다. 이 자동차로 10.23 km를 달리기 위해서 필요한 휘발유는 몇 L인가요?

식 : ______________________ 답 : ________ L

④ 물 38.7 L를 4.3 L씩 담을 수 있는 물통에 나누어 담으려면 물통이 몇 개 필요한가요?

식 : ______________________ 답 : ________ 개

문제를 읽고 알맞은 식과 답을 써 보세요.

① 빵 1개를 구울 때 4.8 g의 소금을 넣습니다. 76.8 g의 소금으로 구울 수 있는 빵은 몇 개인가요?

식 : ______________________ 답 : ________ 개

② 체육 시간에 멀리뛰기를 했습니다. 수인이는 1.06 m를 뛰었고, 정우는 1.59 m를 뛰었을 때 정우의 기록은 수인이의 몇 배인가요?

식 : ______________________ 답 : ________ 배

③ 준서와 해일이가 철사를 2.25 m씩 가지고 있습니다. 각각의 철사를 준서는 0.75 m씩 잘랐고, 해일이는 0.45 m씩 잘랐을 때 누가 몇 조각을 더 잘랐나요?

식 : ______________________ 답 : ________ (이)가 ____ 조각

④ 넓이가 38.16 cm^2이고 윗변의 길이와 높이가 각각 4.8 cm, 7.2 cm인 사다리꼴이 있습니다. 이 사다리꼴의 아랫변의 길이는 몇 cm인가요?

식 : ______________________ 답 : ________ cm

5주차

나누어떨어지지 않는 소수의 나눗셈

소수점 아래에서도 나누어떨어지지 않는 나눗셈은 어림하여 몫을 구하는 경우도 있고, 자연수 몫만 구하고 나머지를 구하는 경우도 있습니다. 나머지는 몫을 구할 때의 소수점을 적용하는 것이 아니고, 처음 수의 소수점을 적용해야 한다는 점에 유의합니다.

1일 나누어떨어지지 않는 ÷(자연수)

월 일

• 나누어떨어지지 않을 때는 몫을 어림하여 나타낼 수 있습니다.

```
                 0.5            0.57            0.571…
7)4    →      7)4.       →    7)4.        →   7)4.
                35              35              35
                 5              50              50
                                49              49
                                 1              10
                                                 7
                                                 3
```

몫인 0.571…을 반올림하여 소수 첫째 자리까지 나타내면 0.6
소수 첫째 자리에서 반올림하여 나타내면 1
반올림하여 소수 둘째 자리까지 나타내면 0.57
소수 둘째 자리에서 반올림하여 나타내면 0.6

```
                 0.3             0.37            0.377…
9)3.4  →      9)3.4      →    9)3.4       →   9)3.4
                27              27              27
                 7              70              70
                                63              63
                                 7              70
                                                63
                                                 7
```

몫인 0.377…을 반올림하여 소수 첫째 자리까지 나타내면 0.4
소수 첫째 자리에서 반올림하여 나타내면 0
반올림하여 소수 둘째 자리까지 나타내면 0.38
소수 둘째 자리에서 반올림하여 나타내면 0.4

나눗셈의 몫을 **반올림하여 소수 둘째 자리까지** 나타내세요.

① $3\overline{)2}$

② $7\overline{)5}$

③ $6\overline{)5}$

④ $7\overline{)12}$

⑤ $3\overline{)8}$

⑥ $14\overline{)22}$

⑦ $6\overline{)13}$

⑧ $9\overline{)28}$

⑨ $7\overline{)31}$

⑩ $15\overline{)38}$

⑪ $6\overline{)19}$

⑫ $13\overline{)49}$

Tip
반올림하여 소수 둘째 자리까지 나타내려면 소수 셋째 자리까지 몫을 구해야 합니다.

나눗셈의 몫을 **소수 둘째 자리에서 반올림**하여 나타내세요.

① $3\overline{)14.2}$

② $6\overline{)17.3}$

③ $7\overline{)35.5}$

④ $3\overline{)8.6}$

⑤ $8\overline{)3.47}$

⑥ $7\overline{)45.1}$

⑦ $3\overline{)71.9}$

⑧ $5\overline{)13.29}$

⑨ $4\overline{)47.5}$

⑩ $3\overline{)15.22}$

⑪ $6\overline{)22.4}$

⑫ $4\overline{)7.23}$

Tip

소수 둘째 자리까지만 몫을 구하면 됩니다.(⑤ 3.47÷8의 경우 소수 다섯째 자리에서 나누어떨어지지만 마찬가지입니다.)

2일 나누어떨어지지 않는 ÷(소수)

월 일

- 소수로 나누는 나눗셈에서도 나누어떨어지지 않을 때 몫을 어림할 수 있습니다. 나누는 수를 자연수로 만드는 10, 100, 1000 등을 두 수에 곱한 후 나눗셈을 계산하고 몫은 어림해 줍니다.

$0.6\overline{)\,0.19}$  $6\overline{)\,1.9}$ 

0.6이 6이 되도록
두 수에 10배

```
   0.3 1 6 …
6 ) 1.9
    1 8
    ---
      1 0
        6
      ---
      4 0
      3 6
      ---
        4
```

몫인 0.316…을

반올림하여 소수 첫째 자리까지 나타내면 0.3
소수 첫째 자리에서 반올림하여 나타내면 0
반올림하여 소수 둘째 자리까지 나타내면 0.32
소수 둘째 자리에서 반올림하여 나타내면 0.3

나눗셈의 몫을 **소수 둘째 자리에서 반올림**하여 나타내세요.

① $1.3\overline{)\,16.4}$

② $0.7\overline{)\,4.51}$

③ $1.7\overline{)\,5.75}$

④ $3.5\overline{)\,11.6}$

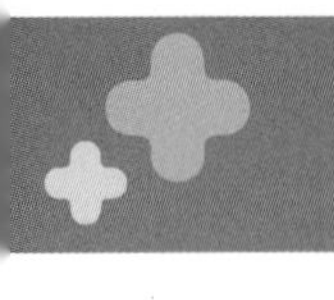

나눗셈의 몫을 **소수 둘째 자리에서 반올림**하여 나타내세요.

① $1.3\overline{)\,23.1}$

② $2.6\overline{)\,12.84}$

③ $8.43\overline{)\,52.48}$

④ $2.8\overline{)\,19.43}$

⑤ $6.4\overline{)\,3.48}$

⑥ $1.92\overline{)\,23.84}$

⑦ $3.6\overline{)\,11.9}$

⑧ $2.6\overline{)\,13.29}$

⑨ $0.6\overline{)\,45.2}$

⑩ $1.4\overline{)\,82.52}$

⑪ $4.5\overline{)\,18.2}$

⑫ $2.17\overline{)\,7.23}$

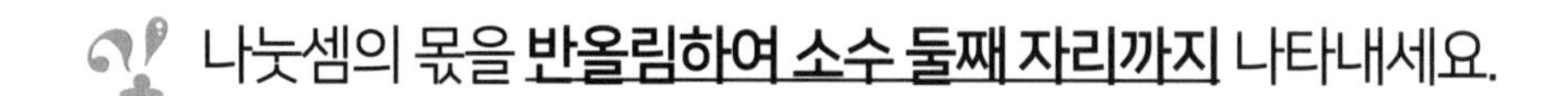

나눗셈의 몫을 **반올림하여 소수 둘째 자리까지** 나타내세요.

① 2.3) 14.3

② 4.7) 53

③ 2.78) 26.47

④ 16.5) 84.92

⑤ 0.7) 5.92

⑥ 9.12) 51.89

⑦ 8.21) 19.45

⑧ 2.7) 3.14

⑨ 0.3) 4.19

⑩ 0.7) 12

⑪ 5.1) 53.48

⑫ 2.3) 21.7

소수 나눗셈의 나머지

공부한 날 월 일

- 비슷한 두 상황의 나눗셈을 비교해 봅시다.

동영상 해설

1.87 L의 물을 6개의 병에 똑같이 나누어 담으려고 합니다. 한 병에 들어갈 물의 양은 몇 L일까요?

$$1.87 \div 6$$

1.87 L의 물을 0.6 L 들이의 병에 나누어 담으려고 합니다. 몇 개의 병을 채울 수 있을까요?

$$1.87 \div 0.6$$

둘 모두 나누어떨어지지 않는 나눗셈이지만
위의 경우 한 병에 담을 수 있는 물의 양이 0.31166…으로 끝이 없는 소수가 되기 때문에 어림하여 몫을 구하게 됩니다.
아래의 경우 3개의 병에 물을 가득 채울 수 있기 때문에 몫이 3이고 남은 물 0.07 L는 나머지가 됩니다.

문제를 읽고 몫과 나머지를 구하세요.

① 3.89 m의 포장 끈을 0.14 m씩 잘라서 선물을 포장하면 선물 몇 개를 포장할 수 있고, 남는 포장 끈은 몇 m일까요?

답: ______ 개, ______ m

② 상자 한 개를 묶는 데 노끈 3.2 m가 필요합니다. 길이가 24.25 m인 노끈 한 묶음으로 묶을 수 있는 상자는 몇 개이고, 남는 끈은 몇 m일까요?

답: ______ 개, ______ m

나눗셈의 자연수 몫과 나머지를 구하세요.

① $3\overline{)28.4}$

② $7\overline{)36.52}$

③ $4\overline{)35.5}$

④ $5\overline{)8.7}$

⑤ $2\overline{)9.62}$

⑥ $7\overline{)18.32}$

⑦ $6\overline{)79.6}$

⑧ $5\overline{)174.5}$

⑨ $4\overline{)48.5}$

⑩ $12\overline{)37.06}$

⑪ $21\overline{)90.8}$

⑫ $16\overline{)73.6}$

- 나누는 수가 소수인 나눗셈에서 자연수 몫과 나머지를 구하는 방법을 알아봅시다.

$0.9\overline{)\,6.42}$ → $9\overline{)\,64.2}$ → $9\overline{)\,64.2}$ (몫 7., 63, 12) → $9\overline{)\,64.2}$ (몫 7, 63, 0.12)

0.9가 9가 되도록 두 수에 10배

자연수 몫은 7

나머지는 원래의 소수점을 사용합니다.

나눗셈의 자연수 몫과 나머지를 구하세요.

① $0.6\overline{)\,6.35}$

② $0.2\overline{)\,2.21}$

③ $0.5\overline{)\,5.6}$

④ $0.8\overline{)\,19.4}$

⑤ $1.2\overline{)\,6.35}$

⑥ $10.2\overline{)\,29.68}$

⑦ $4.2\overline{)\,16.9}$

⑧ $1.5\overline{)\,42.16}$

소수 나눗셈의 나머지 연습

월

나눗셈의 자연수 몫과 나머지를 구하세요.

① $9\overline{)16.7}$

② $3\overline{)5.2}$

③ $23\overline{)28.6}$

④ $7\overline{)19.4}$

⑤ $6\overline{)10.19}$

⑥ $11\overline{)21.43}$

⑦ $9\overline{)25.8}$

⑧ $14\overline{)53.07}$

⑨ $12\overline{)19.4}$

⑩ $5\overline{)49.11}$

⑪ $13\overline{)40.1}$

⑫ $8\overline{)8.35}$

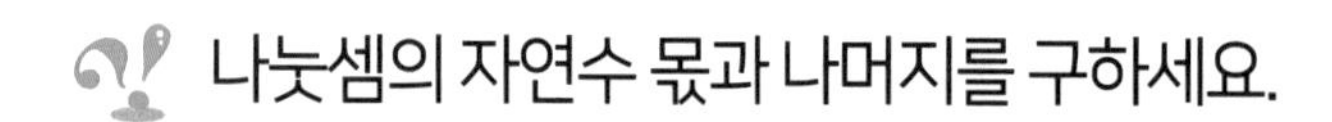

나눗셈의 자연수 몫과 나머지를 구하세요.

① $0.5\overline{)4.7}$

② $0.8\overline{)1.9}$

③ $3.4\overline{)5.6}$

④ $0.7\overline{)12.65}$

⑤ $1.6\overline{)5.38}$

⑥ $3.1\overline{)10.26}$

⑦ $0.6\overline{)15.3}$

⑧ $1.6\overline{)31.09}$

⑨ $1.2\overline{)16.9}$

⑩ $0.7\overline{)82.41}$

⑪ $1.9\overline{)52.3}$

⑫ $2.5\overline{)5.03}$

가로, 세로로 나눗셈의 자연수 몫과 나머지를 구하세요.

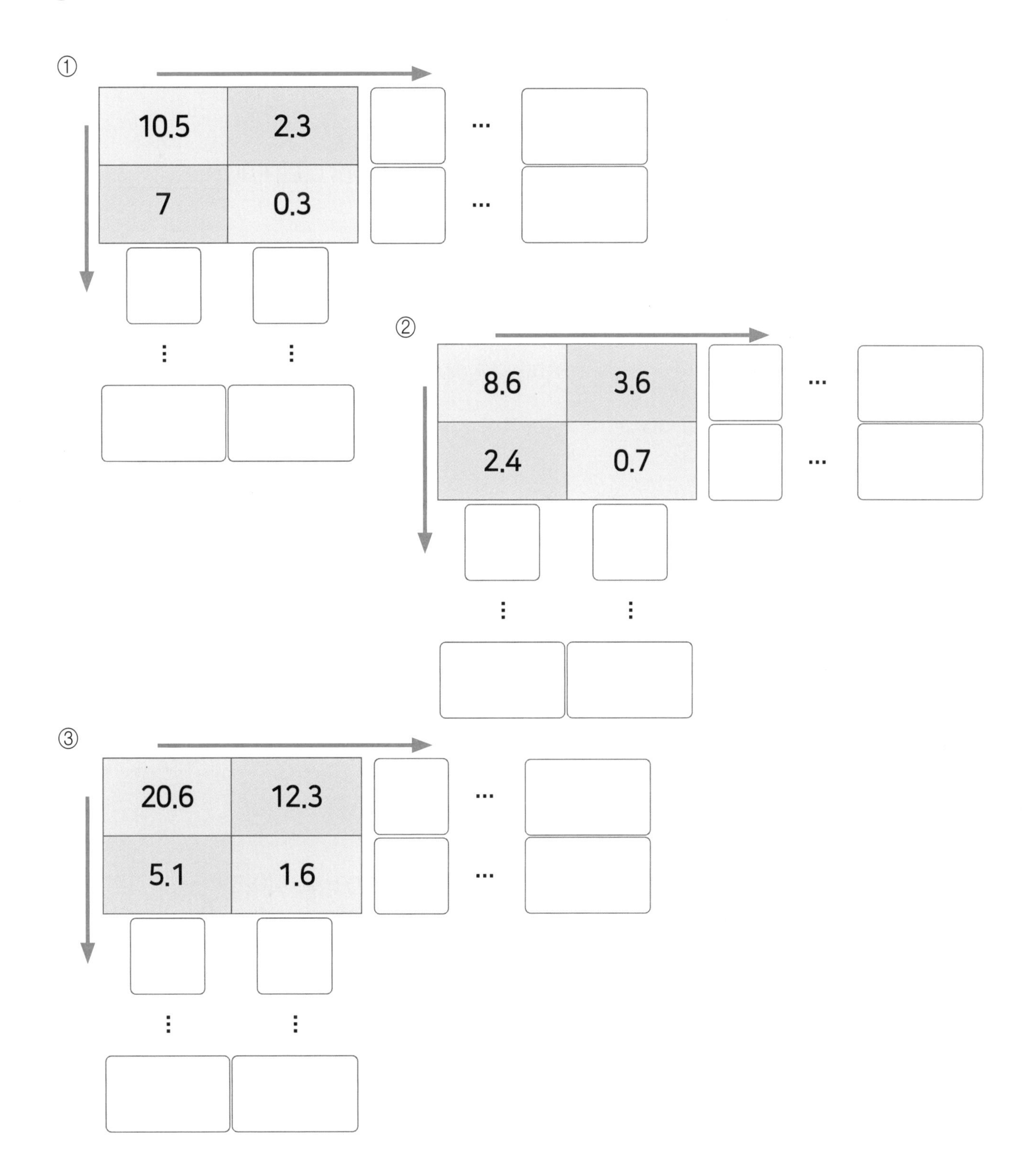

문제를 읽고 알맞은 식과 답을 써 보세요.

★ 1.2 L의 사과 주스는 3200원이고, 0.75 L의 오렌지 주스는 2200원입니다. 사과 주스와 오렌지 주스 중 더 싼 것은 어느 것인지 알아봅시다.

① 사과 주스는 1 L당 얼마인지 소수 첫째 자리에서 반올림하여 나타내세요.

식 : ______________________ 답 : ________ 원

② 오렌지 주스는 1 L당 얼마인지 소수 첫째 자리에서 반올림하여 나타내세요.

식 : ______________________ 답 : ________ 원

③ 두 주스 중 더 싼 것은 어느 것인가요?

답 : ______________________

④ 수연이는 3분에 500 m를 뛰어가고, 은준이는 4분에 650 m를 뛰어갑니다. 두 사람 중 누가 더 빠른가요?

식 1 : ______________________

식 2 : ______________________ 답 : ________

문제를 읽고 알맞은 식과 답을 써 보세요.

① 20 cm 길이의 초에 불을 붙이면 1분에 1.3 cm씩 길이가 줄어듭니다. 이 초가 모두 타는 데 걸리는 시간은 몇 분인지 반올림하여 소수 첫째 자리까지 나타내세요.

식 : ____________________ 답 : ________ 분

② 우유 2 L를 12개의 병에 똑같이 나누어 담으려면 한 병에 몇 L의 우유를 담아야 할까요? 반올림하여 소수 둘째 자리까지 나타내세요.

식 : ____________________ 답 : ________ L

③ 일정한 빠르기로 자전거를 타고 2 km 떨어진 목적지에 7분 만에 도착하려면 1분에 몇 km를 가야할까요? 반올림하여 소수 둘째 자리까지 나타내세요.

식 : ____________________ 답 : ________ km

④ 일정한 빠르기로 3분에 5.3 L의 물이 나오는 수도꼭지가 있습니다. 이 수도꼭지는 1분에 몇 L의 물이 나올까요? 반올림하여 소수 둘째 자리까지 나타내세요.

식 : ____________________ 답 : ________ L

문제를 읽고 알맞은 식과 답을 써 보세요.

① 식혜 29.565 L를 크기가 같은 병에 모두 나누어 담으려고 합니다. 한 병에 6.5 L까지 담을 수 있다면 병은 적어도 몇 병이 필요하고, 남는 식혜는 몇 L인가요?

식 : ____________________ 답 : ______ 병, ______ L

② 고구마 220.4 kg을 한 상자에 14.2 kg씩 포장하면 모두 몇 상자가 되고, 남는 고구마는 몇 kg인가요?

식 : ____________________ 답 : ______ 상자, ______ kg

③ 사탕 한 개를 만드는 데 설탕이 8.14 g 필요하다고 합니다. 설탕 112.8 g으로는 사탕 몇 개를 만들 수 있고, 남는 설탕은 몇 g인가요?

식 : ____________________ 답 : ______ 개, ______ g

④ 77.7 kg의 땅콩을 한 자루에 6.5 kg씩 담아 팔려고 합니다. 팔 수 있는 땅콩은 모두 몇 자루이고, 남는 땅콩은 몇 kg인가요?

식 : ____________________ 답 : ______ 자루, ______ kg

6주차

도전! 계산왕

소수의 나눗셈

공부한 날	월 일
점수	/12

계산을 하세요.(나누어떨어지지 않는 경우 반올림하여 소수 둘째 자리까지 나타냅니다.)

① $0.2 \overline{) 3.2}$

② $0.8 \overline{) 53.6}$

③ $3.6 \overline{) 15.6}$

④ $2.5 \overline{) 14}$

⑤ $1.5 \overline{) 3.04}$

⑥ $0.5 \overline{) 2.85}$

⑦ $7.5 \overline{) 9}$

⑧ $9.1 \overline{) 2.275}$

⑨ $1.2 \overline{) 55}$

⑩ $0.9 \overline{) 0.531}$

⑪ $4.07 \overline{) 65.15}$

⑫ $3.6 \overline{) 1.692}$

소수의 나눗셈

공부한 날	월 일
점수	/12

계산을 하세요.(나누어떨어지지 않는 경우 반올림하여 소수 둘째 자리까지 나타냅니다.)

① $2.4 \div 0.3$

② $0.498 \div 0.83$

③ $9.88 \div 7.6$

④ $4.38 \div 1.9$

⑤ $1.72 \div 0.2$

⑥ $14 \div 1.5$

⑦ $7.056 \div 0.98$

⑧ $4.6 \div 0.9$

⑨ $4.251 \div 1.09$

⑩ $25.16 \div 3.7$

⑪ $14 \div 0.36$

⑫ $5.59 \div 0.61$

소수의 나눗셈

공부한 날 월 일
점수 /12

계산을 하세요.(나누어떨어지지 않는 경우 반올림하여 소수 둘째 자리까지 나타냅니다.)

① $0.6\overline{)4.2}$

② $9.1\overline{)0.364}$

③ $2.4\overline{)8.16}$

④ $1.6\overline{)9.4}$

⑤ $0.6\overline{)1.24}$

⑥ $5.14\overline{)9.252}$

⑦ $2.6\overline{)6.84}$

⑧ $9.3\overline{)5.487}$

⑨ $5.5\overline{)39.05}$

⑩ $0.55\overline{)2.25}$

⑪ $3.08\overline{)93.33}$

⑫ $1.36\overline{)40.12}$

소수의 나눗셈

공부한 날 월 일
점수 /12

계산을 하세요.(나누어떨어지지 않는 경우 반올림하여 소수 둘째 자리까지 나타냅니다.)

① $0.62 \overline{)\,3.92}$

② $2.5 \overline{)\,1.45}$

③ $1.94 \overline{)\,6.96}$

④ $1.2 \overline{)\,18.84}$

⑤ $0.6 \overline{)\,31.62}$

⑥ $2.24 \overline{)\,11.984}$

⑦ $3.02 \overline{)\,13.137}$

⑧ $9.2 \overline{)\,31.46}$

⑨ $0.6 \overline{)\,42.01}$

⑩ $4.9 \overline{)\,65.36}$

⑪ $3.5 \overline{)\,95.62}$

⑫ $0.75 \overline{)\,2.58}$

소수의 나눗셈

공부한 날 월 일
점수 /12

계산을 하세요.(나누어떨어지지 않는 경우 반올림하여 소수 둘째 자리까지 나타냅니다.)

① $1.5\overline{)1.95}$

② $0.3\overline{)2.5}$

③ $40.48\overline{)1.96}$

④ $1.8\overline{)12.78}$

⑤ $2.6\overline{)5.12}$

⑥ $2.8\overline{)7.3}$

⑦ $7.5\overline{)9.375}$

⑧ $1.4\overline{)7.49}$

⑨ $1.53\overline{)24.69}$

⑩ $7.2\overline{)4.464}$

⑪ $2.5\overline{)12.56}$

⑫ $6.09\overline{)99}$

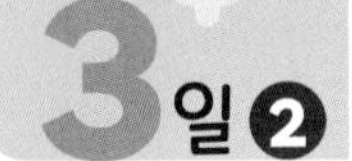

소수의 나눗셈

공부한 날	월 일
점수	/12

계산을 하세요.(나누어떨어지지 않는 경우 반올림하여 소수 둘째 자리까지 나타냅니다.)

① $0.4\overline{)2.2}$

② $0.16\overline{)6.6}$

③ $4.6\overline{)46.58}$

④ $7.2\overline{)4.46}$

⑤ $2.15\overline{)7.396}$

⑥ $3.4\overline{)12.31}$

⑦ $4.2\overline{)39.27}$

⑧ $1.8\overline{)8.55}$

⑨ $4.2\overline{)52.62}$

⑩ $4.5\overline{)85.34}$

⑪ $6.6\overline{)14.19}$

⑫ $5.43\overline{)89}$

소수의 나눗셈

공부한 날 월 일
점수 /12

계산을 하세요.(나누어떨어지지 않는 경우 반올림하여 소수 둘째 자리까지 나타냅니다.)

① 1.2) 9.6

② 4.1) 8.7

③ 0.25) 3.4

④ 3.3) 86.13

⑤ 2.4) 25.56

⑥ 2.9) 9.23

⑦ 0.8) 22.7

⑧ 4.1) 87

⑨ 2.5) 0.76

⑩ 0.9) 0.532

⑪ 0.17) 8.86

⑫ 8.42) 95.567

소수의 나눗셈

공부한 날 월 일
점수 /12

계산을 하세요.(나누어떨어지지 않는 경우 반올림하여 소수 둘째 자리까지 나타냅니다.)

① $0.8 \overline{)\,2}$

② $0.5 \overline{)\,2.175}$

③ $6.1 \overline{)\,2.561}$

④ $3.3 \overline{)\,18.55}$

⑤ $2.3 \overline{)\,9.89}$

⑥ $4.9 \overline{)\,66.64}$

⑦ $0.8 \overline{)\,2.3}$

⑧ $5.64 \overline{)\,71.28}$

⑨ $2.5 \overline{)\,5.85}$

⑩ $0.62 \overline{)\,3.92}$

⑪ $10.3 \overline{)\,67.98}$

⑫ $0.17 \overline{)\,8.89}$

소수의 나눗셈

공부한 날	월 일
점수	/12

계산을 하세요.(나누어떨어지지 않는 경우 반올림하여 소수 둘째 자리까지 나타냅니다.)

① $7.6\overline{)9.88}$

② $0.9\overline{)17.5}$

③ $0.7\overline{)30.6}$

④ $0.4\overline{)3.76}$

⑤ $4.8\overline{)20.4}$

⑥ $4.5\overline{)23.1}$

⑦ $3.24\overline{)28.75}$

⑧ $2.8\overline{)7.98}$

⑨ $2.5\overline{)24.6}$

⑩ $1.4\overline{)17.85}$

⑪ $3.5\overline{)99.01}$

⑫ $37.2\overline{)48.732}$

소수의 나눗셈

공부한 날	월 일
점수	/12

계산을 하세요.(나누어떨어지지 않는 경우 반올림하여 소수 둘째 자리까지 나타냅니다.)

① $0.7\overline{)2.6}$

② $3.6\overline{)2.88}$

③ $1.3\overline{)7.89}$

④ $4.3\overline{)9.89}$

⑤ $3.25\overline{)26}$

⑥ $1.4\overline{)9.26}$

⑦ $0.6\overline{)21.39}$

⑧ $2.1\overline{)156.4}$

⑨ $2.4\overline{)28.68}$

⑩ $3.19\overline{)99.36}$

⑪ $13.5\overline{)17.685}$

⑫ $4.5\overline{)87.48}$

MEMO

실력도 탑! 재미도 탑!

사고력 수학의 으뜸!

TOP 사고력 수학

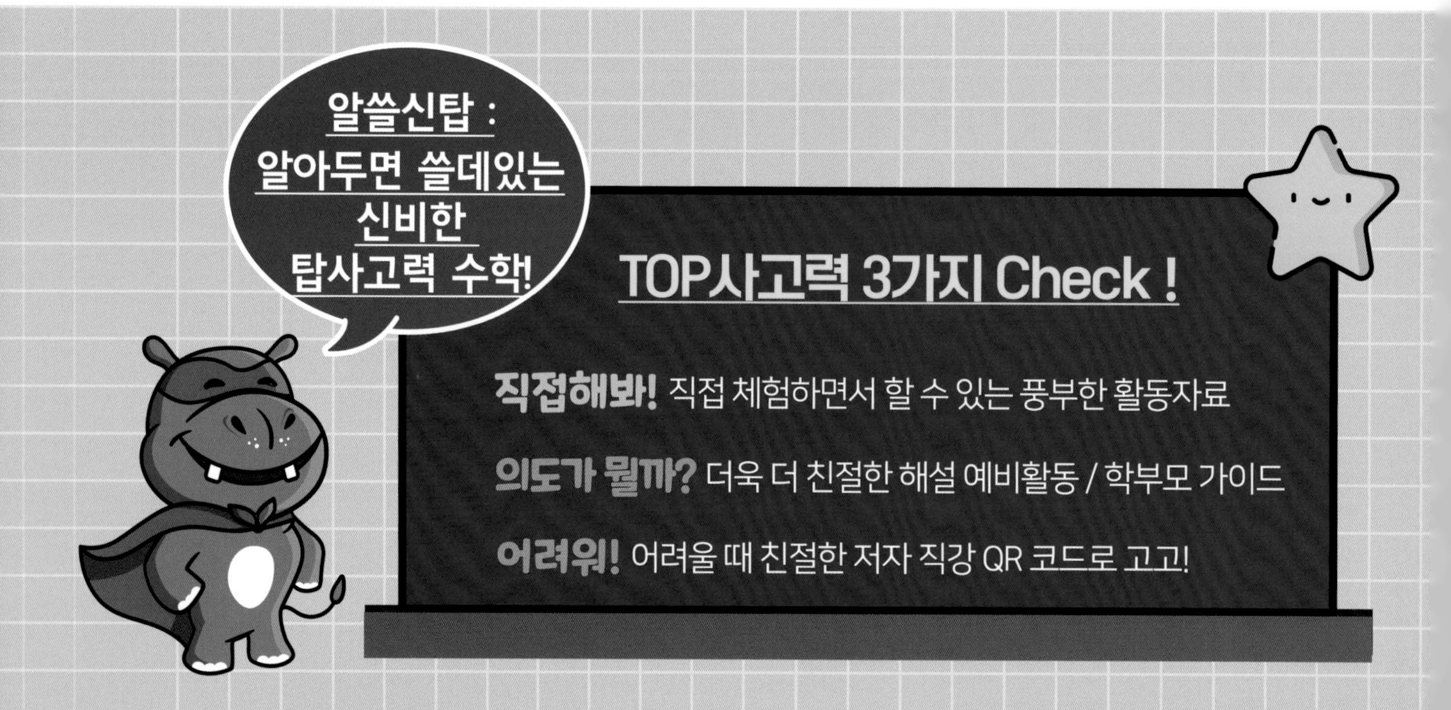

초등 | 수학 전문가가 만든 연산 교재

원리셈

천종현 지음

6학년 2

소수의 나눗셈

천종현수학연구소

1주차 - 분수와 소수의 관계

10쪽

① 5, 0.5, 10

② 6, 0.6, 30

③ 7, 5, 0.75, 28, 20

④ 1, 2, 0.12, 25, 50

11쪽

① 0.2 ② 0.05

③ 0.16 ④ 0.14

⑤ 0.625 ⑥ 0.032

12쪽

① 0.4 ② 0.25

③ 0.04 ④ 0.65

⑤ 0.875 ⑥ 0.024

13쪽

① $\frac{2}{2}$, 8, 0.8

② $\frac{2}{2}$, $\frac{2}{2}$, 8, 8, 0.08

③ $\frac{5}{5}$, 45, 45, 0.45

④ $\frac{2}{2}$, 26, 26, 0.26

⑤ $\frac{2}{2}$, $\frac{2}{2}$, $\frac{2}{2}$, 72, 72, 0.072

14쪽

① 0.2 ② 0.625

③ 0.5 ④ 0.75

⑤ 0.9 ⑥ 0.35

⑦ 0.08 ⑧ 0.325

⑨ 0.22 ⑩ 0.71

⑪ 0.128 ⑫ 0.396

15쪽

① 0.25 ② 0.6

③ 0.7 ④ 0.875

⑤ 0.55 ⑥ 0.36

⑦ 0.62 ⑧ 0.83

⑨ 0.168 ⑩ 0.515

⑪ 0.436 ⑫ 0.134

16쪽

① $\frac{2}{2}$, 6, 2.6

② $\frac{2}{2}$, $\frac{2}{2}$, 36, 36, 4.36

③ $\frac{5}{5}$, $\frac{5}{5}$, $\frac{5}{5}$, 875, 875, 8.875

④ $\frac{5}{5}$, 65, 65, 5.65

⑤ $\frac{5}{5}$, $\frac{5}{5}$, 75, 75, 4.75

17쪽

① 4.5 ② 1.8

③ 3.25 ④ 2.375

⑤ 1.9 ⑥ 7.85

⑦ 6.84 ⑧ 5.62

⑨ 2.89 ⑩ 9.296

⑪ 4.308 ⑫ 3.194

18쪽

① 3.5 ② 2.4

③ 7.4 ④ 1.875

⑤ 6.95 ⑥ 4.3

⑦ 5.92 ⑧ 8.74

⑨ 2.67 ⑩ 7.632

⑪ 4.645 ⑫ 9.764

19쪽

① $\frac{85}{100}$, $\frac{17}{20}$ ② $4\frac{125}{1000}$, $4\frac{1}{8}$

③ $6\frac{25}{100}$, $6\frac{1}{4}$ ④ $3\frac{5}{10}$, $3\frac{1}{2}$

⑤ $\frac{875}{1000}$, $\frac{7}{8}$ ⑥ $1\frac{65}{100}$, $1\frac{13}{20}$

⑦ $4\frac{48}{1000}$, $4\frac{6}{125}$ ⑧ $7\frac{955}{1000}$, $7\frac{191}{200}$

⑨ $1\frac{285}{1000}$, $1\frac{57}{200}$ ⑩ $8\frac{442}{1000}$, $8\frac{221}{500}$

20쪽

① $\frac{2}{5}$　② $\frac{9}{10}$

③ $\frac{17}{50}$　④ $4\frac{21}{25}$

⑤ $1\frac{3}{4}$　⑥ $3\frac{1}{2}$

⑦ $6\frac{33}{200}$　⑧ $\frac{5}{8}$

⑨ $3\frac{9}{50}$　⑩ $7\frac{19}{40}$

⑪ $8\frac{57}{200}$　⑫ $5\frac{117}{250}$

21쪽

① $\frac{4}{5}$　② $1\frac{39}{50}$

③ $2\frac{11}{20}$　④ $3\frac{3}{8}$

⑤ $8\frac{12}{25}$　⑥ $6\frac{121}{250}$

⑦ $5\frac{63}{200}$　⑧ $\frac{381}{500}$

⑨ $9\frac{12}{125}$　⑩ $2\frac{27}{50}$

⑪ $7\frac{173}{500}$　⑫ $4\frac{119}{125}$

22쪽

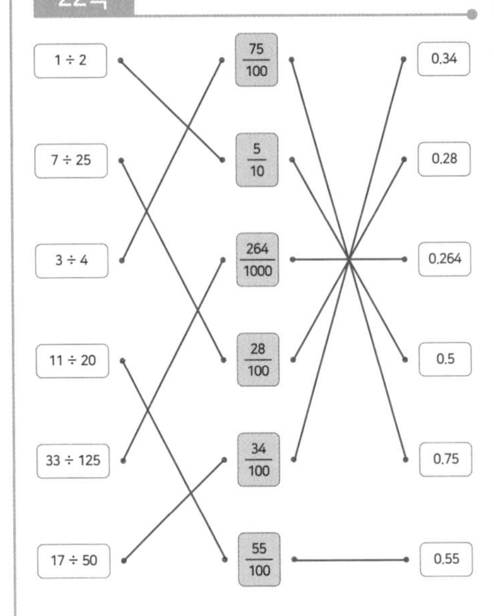

23쪽

① ○　② △　③ ○

④ □　⑤ △　⑥ △

⑦ □　⑧ □　⑨ □

24쪽

① 0.375

② 0.85

③ 0.75

④ $\frac{7}{8}$

2주차 - (소수/자연수)÷(자연수)

26쪽

① 0.6　② 0.04

③ 4.2　④ 0.026

⑤ 0.08　⑥ 0.095

⑦ 0.0375　⑧ 0.505

27쪽

① 3.4　② 0.8　③ 2.45

④ 2.09　⑤ 6.3　⑥ 1.06

⑦ 2.47　⑧ 6.14　⑨ 1.82

⑩ 0.7　⑪ 3.05　⑫ 14.08

⑬ 0.5　⑭ 0.04　⑮ 3.2

28쪽

① 0.98　② 2.8　③ 9.06

④ 5.3　⑤ 0.08　⑥ 1.6

⑦ 5.05　⑧ 8.75　⑨ 0.8

⑩ 0.08　⑪ 0.7　⑫ 0.31

⑬ 4.1　⑭ 2.2　⑮ 5.3

29쪽

① 7, 14　② 4, 52　③ 8, 96

④ 95, 36, 20　⑤ 118, 25, 25, 200　⑥ 285, 40, 160, 100

30쪽

① 0.8 ② 5.07 ③ 0.8 ④ 1.6
⑤ 9.1 ⑥ 7.08 ⑦ 3.4 ⑧ 0.83
⑨ 5.4 ⑩ 6.5 ⑪ 6.07 ⑫ 0.47

31쪽

① 0.15 ② 0.05 ③ 0.46 ④ 1.05
⑤ 3.02 ⑥ 3.06 ⑦ 2.05 ⑧ 5.35
⑨ 0.64 ⑩ 2.56 ⑪ 8.12 ⑫ 8.35

32쪽

① 2.06 ② 0.4 ③ 0.64
④ 4.615 ⑤ 1.51 ⑥ 1.6
⑦ 1.4 ⑧ 0.692 ⑨ 6.23

33쪽

① 1.3 ② 1.4 ③ 1.5
④ 5.49 ⑤ 3.9 ⑥ 4.17
⑦ 1.735 ⑧ 1.69 ⑨ 0.75

34쪽

① 1.8375 2.45 ② 2.75 0.44

③ 1.75 5.25 ④ 3.6 2.7

35쪽

32.24 ÷ 26	15.6 ÷ 12
27.28 ÷ 22	11.16 ÷ 9

35.2 ÷ 5	73.5 ÷ 21
28 ÷ 8	105 ÷ 30

5.27 ÷ 31	1.02 ÷ 6
1.87 ÷ 11	3.78 ÷ 21

92.7 ÷ 9	123.6 ÷ 12
127.4 ÷ 13	154.5 ÷ 15

36쪽

① 1, 2, 8, 0.15

② 5, 6, 7, 0.8

③ 1, 4, 5, 0.28

④ 2, 4, 5, 7, 3.5

⑤ 1, 2, 6, 9, 1.4

⑥ 3, 7, 8, 9, 0.42

⑦ 2, 3, 4, 6, 0.39

37쪽

① 0 ② 5

③ 1 ④ 1

⑤ 1 ⑥ 7

⑦ 5 ⑧ 9

⑨ 1 ⑩ 2

38쪽

① (9.1 + 2.9) × □ ÷ 2 = 12.66

② 12.66 × 2 ÷ (9.1 + 2.9) = 2.11, 2.11

③ 67.6 × 2 ÷ 13 = 10.4, 10.4

④ 69.74 × 2 ÷ 11 = 12.68, 12.68

39쪽

① 14 ÷ 5 = 2.8, 2.8

② 2 ÷ 50 = 0.04, 0.04

③ 15.34 ÷ 4 = 3.835, 3.835

④ 162 ÷ 12 = 13.5, 13.5

40쪽

① 12.5 ÷ 4 = 3.125, 3.125

② 30.68 ÷ 13 = 2.36, 2.36

③ 2.04 ÷ 6 = 0.34, 0.34

④ 104.4 ÷ 9 = 11.6, 11.6

3주차 - 도전! 계산왕

42쪽

① 1.2 ② 5.2 ③ 0.28 ④ 3.9
⑤ 7.01 ⑥ 1.2 ⑦ 0.8 ⑧ 2.06
⑨ 23.7 ⑩ 6.01 ⑪ 4.2 ⑫ 9.1

43쪽

① 1.08 ② 8.6 ③ 6.2 ④ 7.8
⑤ 0.47 ⑥ 12.5 ⑦ 8.7 ⑧ 0.3
⑨ 5.7 ⑩ 0.55 ⑪ 0.36 ⑫ 0.25

44쪽

① 3.5 ② 4.3 ③ 0.25 ④ 0.91
⑤ 5.3 ⑥ 0.6 ⑦ 0.23 ⑧ 22.5
⑨ 2.3 ⑩ 0.32 ⑪ 8.01 ⑫ 3.2

45쪽

① 0.8 ② 5.07 ③ 0.8 ④ 1.6
⑤ 9.1 ⑥ 7.08 ⑦ 3.4 ⑧ 0.83
⑨ 5.4 ⑩ 6.5 ⑪ 6.07 ⑫ 0.47

46쪽

① 0.15 ② 0.05 ③ 0.46 ④ 1.05
⑤ 3.02 ⑥ 3.06 ⑦ 2.05 ⑧ 5.35
⑨ 0.64 ⑩ 2.56 ⑪ 8.12 ⑫ 8.35

47쪽

① 5.2 ② 8.4 ③ 2.25 ④ 0.14
⑤ 7.01 ⑥ 7.08 ⑦ 0.8 ⑧ 6.4
⑨ 1.07 ⑩ 3.97 ⑪ 4.2 ⑫ 1.02

48쪽

① 5.9 ② 2.1 ③ 1.04 ④ 8.5
⑤ 7.5 ⑥ 1.28 ⑦ 7.8 ⑧ 6.4
⑨ 6.42 ⑩ 8.5 ⑪ 1.5 ⑫ 9.8

49쪽

① 7.2 ② 2.3 ③ 8.9 ④ 0.36
⑤ 8.5 ⑥ 5.2 ⑦ 3.21 ⑧ 2.3
⑨ 3.2 ⑩ 2.01 ⑪ 6.02 ⑫ 0.625

50쪽

① 0.8 ② 2.05 ③ 4.06 ④ 0.63
⑤ 1.3 ⑥ 3.08 ⑦ 0.21 ⑧ 0.58
⑨ 3.25 ⑩ 0.54 ⑪ 12.5 ⑫ 2.3

51쪽

① 5.5 ② 8.45 ③ 4.2 ④ 0.78
⑤ 8.4 ⑥ 0.65 ⑦ 0.86 ⑧ 6.3
⑨ 2.9 ⑩ 2.6 ⑪ 2.6 ⑫ 0.92

4주차 - 소수의 나눗셈

54쪽

① 50 ② 900
③ 5 ④ 60
⑤ 400 ⑥ 800
⑦ 1600 ⑧ 6400
⑨ 310 ⑩ 500

55쪽

① 0.9 ② 0.8
③ 210 ④ 700
⑤ 0.04 ⑥ 2.3
⑦ 16 ⑧ 0.26
⑨ 170 ⑩ 7.2

56쪽

① 0.3 ② 0.4 ③ 0.6
④ 20 ⑤ 5 ⑥ 3.1
⑦ 7 ⑧ 7 ⑨ 0.8
⑩ 0.8 ⑪ 16 ⑫ 45
⑬ 5 ⑭ 2.9 ⑮ 4.5

57쪽

① 95

36
20

② 1. 18

25
25
200

③ 285

40
160
100

58쪽

① 5	② 31	③ 6	④ 0.8
⑤ 2.1	⑥ 1.2	⑦ 2.4	⑧ 8
⑨ 0.6	⑩ 2.3	⑪ 6.6	⑫ 7.3

59쪽

① 7.5	② 4.46
③ 1.35	④ 0.64
⑤ 4.8	⑥ 3.85
⑦ 5.35	⑧ 13.7
⑨ 5.5	⑩ 20.96
⑪ 7.5	⑫ 63.25

60쪽

① 46.76	② 1.8	③ 56
④ 24.5	⑤ 15.3	⑥ 5.36
⑦ 52.5	⑧ 1.31	⑨ 6.25

61쪽

① 9.6	② 0.76	③ 2.8
④ 0.36	⑤ 5.3	⑥ 9.4
⑦ 7.87	⑧ 0.82	⑨ 15.45

62쪽

4.19	9.5	5.15
7.5	0.42	10.85
2.3	2.87	8.5

63쪽

2.6) 7.8 → 3	26) 0.7 8 → 0.03	(○) 26) 7 8 → 3	26) 7 8 0 → 30
0.6) 2.1 6 → 3.6	6) 0.2 1 6 → 0.036	(○) 6) 2 1.6 → 3.6	6) 2 1 6 → 36
1.2) 0.9 6 → 0.8	12) 0.9 6 → 0.08	(○) 12) 9.6 → 0.8	12) 9 6 → 8
0.25) 9 7.5 → 390	25) 0.9 7 5 → 0.039	25) 9 7 5 → 39	(○) 25) 9 7 5 0 → 390
5.2) 6 7.6 → 13	52) 6.7 6 → 0.13	(○) 52) 6 7 6 → 13	52) 6 7 6 0 → 130
3.5) 2 2.4 → 6.4	(○) 35) 2 2 4 → 6.4	35) 2 2.4 → 0.64	35) 2.2 4 → 0.064
4.1) 2 2.5 5 → 5.5	41) 2 2.5 5 → 0.55	41) 2.2 5 5 → 0.055	(○) 41) 2 2 5.5 → 5.5

64쪽

① 6615 ÷ 63 = 105
66.15 ÷ 6.3 = 10.5

② 19225 ÷ 25 = 769
19.225 ÷ 2.5 = 7.69

③ 11232 ÷ 48 = 234
11.232 ÷ 0.48 = 23.4

④ 29281 ÷ 47 = 623
29.281 ÷ 4.7 = 6.23

⑤ 32706 ÷ 69 = 474
3.2706 ÷ 0.69 = 4.74

⑥ 43213 ÷ 79 = 547
432.13 ÷ 7.9 = 54.7

⑦ 2450 ÷ 5 = 490
2.45 ÷ 0.5 = 4.90

⑧ 2136 ÷ 8 = 267
21.36 ÷ 0.8 = 26.7

⑨ 25803 ÷ 47 = 549
2.5803 ÷ 0.47 = 5.49

⑩ 30108 ÷ 39 = 772
301.08 ÷ 3.9 = 77.2

⑪ 39490 ÷ 55 = 718
39.49 ÷ 5.5 = 7.18

⑫ 27300 ÷ 75 = 364
27.3 ÷ 7.5 = 3.64

65쪽

2350	÷4	587.5
	÷0.4	5875
	÷0.04	58750

86.4	÷7.2	12
8.64		1.2
0.864		0.12

327	÷6	54.5
	÷0.6	545
	÷0.06	5450

2.07	÷0.03	69
20.7		690
207		6900

3.72	÷3	1.24
	÷0.3	12.4
	÷0.03	124

1.008	÷1.2	0.84
10.08		8.4
100.8		84

12.36	÷0.12	103
	÷1.2	10.3
	÷12	1.03

720.9	÷0.9	801
72.09		80.1
7.209		8.01

66쪽

① 4.64 ÷ 3.2 = 1.45, 1.45

② 4.64 ÷ 0.8 = 5.8, 5.8

③ 3.2 ÷ 0.8 = 4, 4

67쪽

① 22.4 ÷ 6.4 = 3.5, 3.5

② 32.4 ÷ 1.2 = 27, 27

③ 10.23 ÷ 1.24 = 8.25, 8.25

④ 38.7 ÷ 4.3 = 9, 9

68쪽

① 76.8 ÷ 4.8 = 16, 16

② 1.59 ÷ 1.06 = 1.5, 1.5

③ 2.25 ÷ 0.75 = 3,
2.25 ÷ 0.45 = 5, 해일, 2

④ 38.16 × 2 ÷ 7.2 - 4.8 = 5.8, 5.8

5주차 - 나누어떨어지지 않는 소수의 나눗셈

71쪽

① 0.67 ② 0.71

③ 0.83 ④ 1.71

⑤ 2.67 ⑥ 1.57

⑦ 2.17 ⑧ 3.11

⑨ 4.43 ⑩ 2.53

⑪ 3.17 ⑫ 3.77

72쪽

① 4.7 ② 2.9 ③ 5.1 ④ 2.9

⑤ 0.4 ⑥ 6.4 ⑦ 24 ⑧ 2.7

⑨ 11.9 ⑩ 5.1 ⑪ 3.7 ⑫ 1.8

73쪽

① 12.6 ② 6.4

③ 3.4 ④ 3.3

74쪽

① 17.8 ② 4.9 ③ 6.2 ④ 6.9

⑤ 0.5 ⑥ 12.4 ⑦ 3.3 ⑧ 5.1

⑨ 75.3 ⑩ 58.9 ⑪ 4 ⑫ 3.3

75쪽

① 6.22 ② 11.28 ③ 9.52 ④ 5.15

⑤ 8.46 ⑥ 5.69 ⑦ 2.37 ⑧ 1.16

⑨ 13.97 ⑩ 17.14 ⑪ 10.49 ⑫ 9.43

76쪽

① 27, 0.11

② 7, 1.85

77쪽

① 9 ··· 1.4 ② 5 ··· 1.52

③ 8 ··· 3.5 ④ 1 ··· 3.7

⑤ 4 ··· 1.62 ⑥ 2 ··· 4.32

⑦ 13 ··· 1.6 ⑧ 34 ··· 4.5

⑨ 12 ··· 0.5 ⑩ 3 ··· 1.06

⑪ 4 ··· 6.8 ⑫ 4 ··· 9.6

78쪽

① 10 ··· 0.35 ② 11 ··· 0.01

③ 11 ··· 0.1 ④ 24 ··· 0.2

⑤ 5 ··· 0.35 ⑥ 2 ··· 9.28

⑦ 4 ··· 0.1 ⑧ 28 ··· 0.16

79쪽

① 1 ··· 7.7 ② 1 ··· 2.2
③ 1 ··· 5.6 ④ 2 ··· 5.4
⑤ 1 ··· 4.19 ⑥ 1 ··· 10.43
⑦ 2 ··· 7.8 ⑧ 3 ··· 11.07
⑨ 1 ··· 7.4 ⑩ 9 ··· 4.11
⑪ 3 ··· 1.1 ⑫ 1 ··· 0.35

80쪽

① 9 ··· 0.2 ② 2 ··· 0.3
③ 1 ··· 2.2 ④ 18 ··· 0.05
⑤ 3 ··· 0.58 ⑥ 3 ··· 0.96
⑦ 25 ··· 0.3 ⑧ 19 ··· 0.69
⑨ 14 ··· 0.1 ⑩ 117 ··· 0.51
⑪ 27 ··· 1 ⑫ 2 ··· 0.03

81쪽

①

10.5	2.3	4	···	1.3
7	0.3	23	···	0.1
1	7			
⋮	⋮			
3.5	0.2			

②

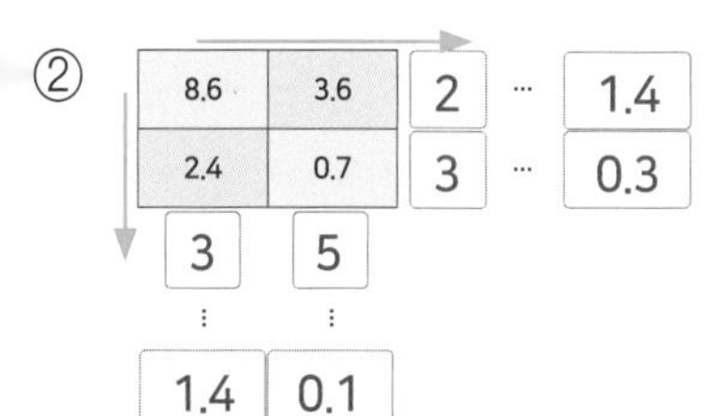

8.6	3.6	2	···	1.4
2.4	0.7	3	···	0.3
3	5			
⋮	⋮			
1.4	0.1			

③

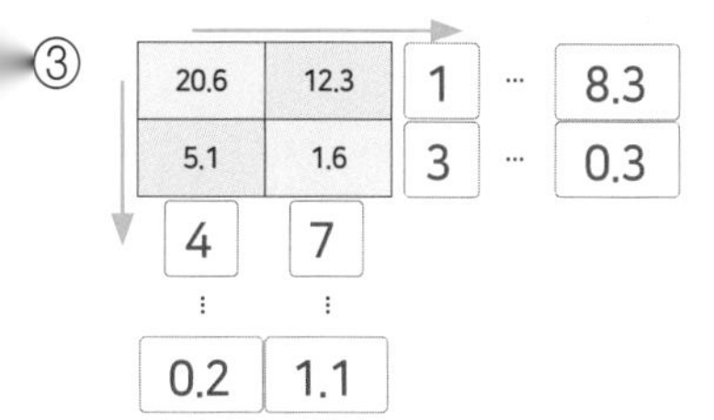

20.6	12.3	1	···	8.3
5.1	1.6	3	···	0.3
4	7			
⋮	⋮			
0.2	1.1			

82쪽

① 3200 ÷ 1.2 = 2666.6···, 2667
② 2200 ÷ 0.75 = 2933.3···, 2933
③ 사과 주스
④ 500 ÷ 3 = 166.6···
650 ÷ 4 = 162.5, 수연

83쪽

① 20 ÷ 1.3 = 15.38···, 15.4
② 2 ÷ 12 = 0.166···, 0.17
③ 2 ÷ 7 = 0.285···, 0.29
④ 5.3 ÷ 3 = 1.766···, 1.77

84쪽

① 29.565 ÷ 6.5 = 4 ··· 3.565, 4, 3.565
② 220.4 ÷ 14.2 = 15 ··· 7.4, 15, 7.4
③ 112.8 ÷ 8.14 = 13 ··· 6.98, 13, 6.98
④ 77.7 ÷ 6.5 = 11 ··· 6.2, 11, 6.2

6주차 - 도전! 계산왕

86쪽

① 16 ② 67
③ 4.33 ④ 5.6
⑤ 2.03 ⑥ 5.7
⑦ 1.2 ⑧ 0.25
⑨ 45.83 ⑩ 0.59
⑪ 16.01 ⑫ 0.47

87쪽

① 8 ② 0.6
③ 1.3 ④ 2.31
⑤ 8.6 ⑥ 9.33
⑦ 7.2 ⑧ 5.11
⑨ 3.9 ⑩ 6.8
⑪ 38.89 ⑫ 9.16

88쪽

① 7 ② 0.04
③ 3.4 ④ 5.875
⑤ 2.07 ⑥ 1.8
⑦ 2.63 ⑧ 0.59
⑨ 7.1 ⑩ 4.09
⑪ 30.3 ⑫ 29.5

89쪽

① 6.32 ② 0.58
③ 3.59 ④ 15.7
⑤ 52.7 ⑥ 5.35
⑦ 4.35 ⑧ 3.42
⑨ 70.02 ⑩ 13.34
⑪ 27.32 ⑫ 3.44

90쪽

① 1.3 ② 8.33
③ 0.05 ④ 7.1
⑤ 1.97 ⑥ 2.61
⑦ 1.25 ⑧ 5.35
⑨ 16.14 ⑩ 0.62
⑪ 5.024 ⑫ 16.26

91쪽

① 5.5 ② 41.25
③ 10.13 ④ 0.62
⑤ 3.44 ⑥ 3.62
⑦ 9.35 ⑧ 4.75
⑨ 12.53 ⑩ 18.96
⑪ 2.15 ⑫ 16.39

92쪽

① 8 ② 2.12
③ 13.6 ④ 26.1
⑤ 10.65 ⑥ 3.18
⑦ 28.375 ⑧ 21.22
⑨ 0.304 ⑩ 0.59
⑪ 52.12 ⑫ 11.35

93쪽

① 2.5 ② 4.35
③ 0.42 ④ 5.62
⑤ 4.3 ⑥ 13.6
⑦ 2.875 ⑧ 12.64
⑨ 2.34 ⑩ 6.32
⑪ 6.6 ⑫ 52.29

94쪽

① 1.3 ② 19.44
③ 43.71 ④ 9.4
⑤ 4.25 ⑥ 5.13
⑦ 8.87 ⑧ 2.85
⑨ 9.84 ⑩ 12.75
⑪ 28.29 ⑫ 1.31

95쪽

① 3.71 ② 0.8
③ 6.07 ④ 2.3
⑤ 8 ⑥ 6.61
⑦ 35.65 ⑧ 74.48
⑨ 11.95 ⑩ 31.15
⑪ 1.31 ⑫ 19.44

총괄 테스트 정답

총괄 테스트

이름 점수

01 분수를 소수로 바꾸거나 소수를 분모가 10, 100, 1000인 분수로 바꾸세요.

① $3\frac{24}{25} = 3.96$　② $2\frac{1}{8} = 2.125$

③ $0.22 = \frac{22}{100}$　④ $0.75 = \frac{75}{100}$

02 계산을 하세요.

① $7.8 \div 2 = 3.9$　② $1.44 \div 3 = 0.48$

③ $1.96 \div 7 = 0.28$　④ $15.6 \div 12 = 1.3$

03 빈 곳에 알맞은 수를 써넣으세요.

① $1.6 \div 5 = 0.32$ (16 − 15 = 1, 10 − 10 = 0)

② $23.4 \div 4 = 5.85$ (23 − 20 = 3, 34 − 32 = 2, 20 − 20 = 0)

04 계산을 하세요.

① $2.1 \div 15 = 0.14$　② $1.56 \div 6 = 0.26$　③ $62.5 \div 5 = 12.5$

05 주어진 숫자 카드를 빈칸에 넣어 몫이 가장 작은 나눗셈식을 만들고 몫을 구하세요.

① [6] [9] [3]　$3.6 \div 9 = 0.4$

② [9] [6] [8] [4]　$46.8 \div 9 = 5.2$

06 자연수 나눗셈을 보고 소수 나눗셈의 몫을 구하세요.

① $49 \div 7 = 7$　$49 \div 0.7 = 70$

② $125 \div 5 = 25$　$1.25 \div 0.5 = 2.5$

③ $96 \div 6 = 16$　$9.6 \div 6 = 1.6$

④ $130 \div 26 = 5$　$130 \div 0.26 = 500$

07 계산을 하세요.

① $36 \div 2.5 = 14.4$　② $11.4 \div 2.4 = 4.75$

③ $17.714 \div 5.21 = 3.4$　④ $46.624 \div 4.96 = 9.4$

08 나눗셈의 몫을 **소수 둘째 자리에서 반올림**하여 나타내세요.

① $43.5 \div 1.7 → 25.6$　② $84.12 \div 9.21 → 9.1$

09 계산을 하세요.(나누어떨어지지 않는 경우 반올림하여 소수 둘째 자리까지 나타냅니다.)

① $35.7 \div 2.3 → 15.52$　② $14.958 \div 5.54 → 2.7$

10 음료수 3 L를 14개의 병에 똑같이 나누어 담으려면 한 병에 몇 L의 음료수를 담아야 할까요? 반올림하여 소수 둘째 자리까지 나타내세요.

식: $3 \div 14$　답: 0.21 L

11 분수를 소수로 바꾸거나 소수를 분모가 10, 100, 1000인 분수로 바꾸세요.

① $4\frac{17}{40} = 4.425$　② $9\frac{4}{25} = 9.16$

③ $0.342 = \frac{342}{1000}$　④ $0.875 = \frac{875}{1000}$

12 계산을 하세요.

① $6.9 \div 3 = 2.3$　② $1.35 \div 5 = 0.27$

③ $2.88 \div 9 = 0.32$　④ $2.73 \div 13 = 0.21$

13 빈 곳에 알맞은 수를 써넣으세요.

① $2.8 \div 8 = 0.35$ (28 − 24 = 4, 40 − 40 = 0)

② $34.7 \div 5 = 6.94$ (34 − 30 = 4, 47 − 45 = 2, 20 − 20 = 0)

14 계산을 하세요.

① $3.5 \div 14 = 0.25$　② $42.3 \div 9 = 4.7$　③ $53.2 \div 7 = 7.6$

15 주어진 숫자 카드를 빈칸에 넣어 몫이 가장 작은 나눗셈식을 만들고 몫을 구하세요.

① [6] [8] [5]　$5.6 \div 8 = 0.7$

② [2] [6] [1] [7]　$12.6 \div 7 = 1.8$

16 자연수 나눗셈을 보고 소수 나눗셈의 몫을 구하세요.

① $65 \div 5 = 13$　$6.5 \div 5 = 1.3$

② $78 \div 6 = 13$　$78 \div 0.6 = 130$

③ $112 \div 7 = 16$　$1.12 \div 0.7 = 1.6$

④ $175 \div 25 = 7$　$175 \div 0.25 = 700$

17 계산을 하세요.

① $87 \div 2.9 = 30$　② $24.51 \div 4.3 = 5.7$

③ $59.534 \div 3.4 = 17.51$　④ $30.94 \div 9.52 = 3.25$

18 나눗셈의 몫을 **소수 둘째 자리에서 반올림**하여 나타내세요.

① $77.3 \div 2.7 → 28.6$　② $92.34 \div 8.31 → 11.1$

19 계산을 하세요.(나누어떨어지지 않는 경우 반올림하여 소수 둘째 자리까지 나타냅니다.)

① $18.7 \div 3.4 → 5.5$　② $521.34 \div 2.34 → 222.79$

20 둘레가 3.57 m인 정삼각형의 한 변의 길이는 몇 m일까요?

식: $3.57 \div 3$　답: 1.19 m

원리 이해

다양한 계산 방법

충분한 연습

성취도 확인

천종현수학연구소의 교재 흐름도

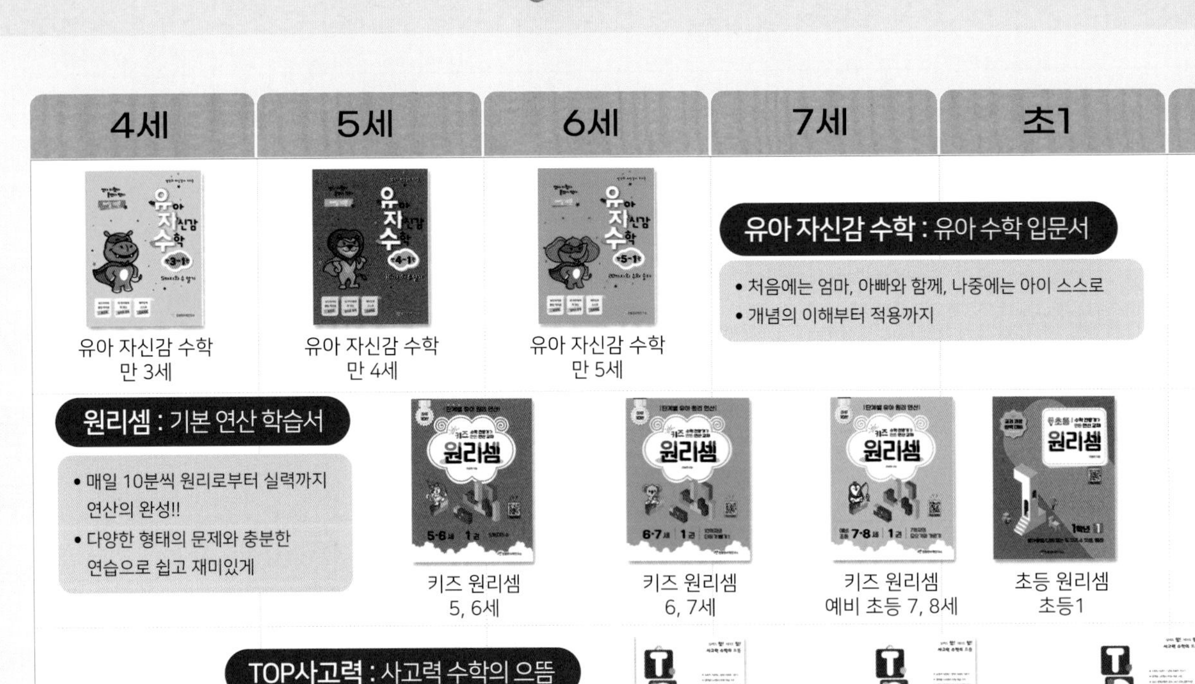

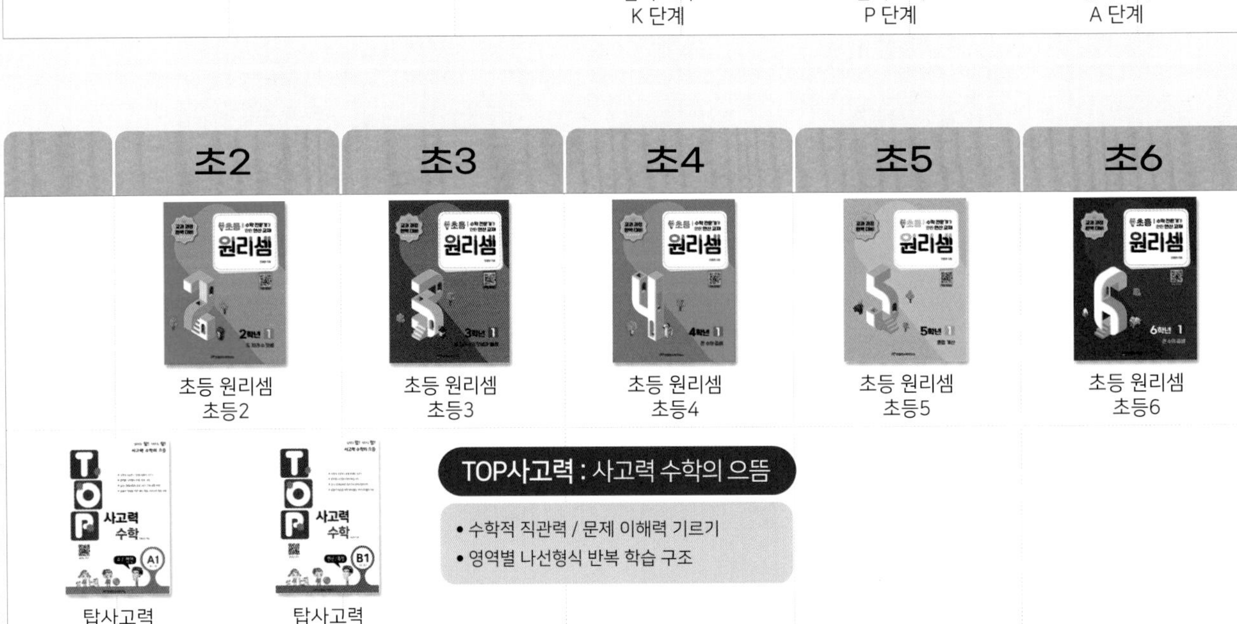